D1431096

Valérie Deslandes

Se faire à l'idée...

Traverser sereinement
tous les deuils qui
affectent notre vie!

CP du Tremblay, C.P. 99066
Longueuil (Québec) J4N 0A5
450 445-2974

info@performance-edition.com
www.performance-edition.com

Distribution pour le Canada : Prologue Inc.
Pour l'Europe : DG Diffusion
Pour la Suisse : Transat, S.A.
Pour l'Europe en ligne seulement : www.libreentreprise.com

© 2014 Performance Édition

ISBN 978-2-924412-33-6
EPDF 978-2-924412-34-3
EPUB 978-2-924412-35-0

Dépôt légal 4e trimestre 2014
Dépôt légal Bibliothèque et Archives nationales du Québec
Dépôt légal Bibliothèque nationale du Canada
Dépôt légal Bibliothèque nationale de France

Révision : Françoise Blanchard
Couverture et mise en page : Pierre Champagne, infographiste
Photo de la couverture : Sophie Lemay, Sol photographe www.solphotographe.com
Photo de Jacynthe René : Marc Dussault, www.marcdussaultphotographe.com

Tous droits de traduction et d'adaptation, en totalité ou en partie, réservés pour tous les pays. La reproduction du tout ou d'un extrait quelconque de ce document, par quelque procédé que ce soit, tant électronique que mécanique, et en particulier par photocopie ou par microfilm, est interdite sans l'autorisation écrite de l'auteur.

Nous reconnaissons l'aide financière du gouvernement du Canada par l'entremise du Fonds du livre du Canada (FLC) pour nos activités d'édition.
Nous remercions la Société de développement des entreprises actuelles du Québec (SODEC) pour son appui à notre programme de publication.

Limite de responsabilité
L'auteure et l'éditeur ne revendiquent ni ne garantissent l'exactitude, le caractère applicable et approprié ou l'exhaustivité du contenu de ce programme. Ils déclinent toute responsabilité, expresse ou implicite, quelle qu'elle soit.

♻ Imprimé au Canada

TABLE DES MATIÈRES

À tous ceux
qui ont déjà perdu...

REMERCIEMENTS

Comme ce livre est le résultat de mon expérience de vie et des gens que j'ai croisés sur la route de mon cheminement, j'aimerais prendre le temps de leur exprimer ma reconnaissance.

D'abord mes parents. Merci Papa de m'avoir appris la vie en me montrant à la vivre à travers le deuil et d'avoir été l'inspiration qui aidera tous ceux qui ont besoin de soutien.

Merci Maman d'être ce que tu es, de m'aimer et d'être présente dans tous mes projets personnels et professionnels.

Merci à mes clients des dernières années qui m'ont accordé toute leur confiance, qui m'ont permis de cheminer avec eux, de devenir toujours plus complète dans ma spécialité, le deuil.

Merci à Jacynthe René d'avoir si gentiment accepté de lire mon manuscrit et de rédiger la préface. C'est un honneur et un privilège pour moi. Gratitude!

Merci à tous ceux qui, à travers les années m'ont inspirée, touchée, aimée et encouragée.

Merci à vous, cher lecteur, de permettre aux moyens que je vous propose d'utiliser de vous aider et aussi de prendre du temps pour vous dans le but de cheminer de façon sereine et joyeuse à travers tous les deuils de votre vie.

Merci à la Vie pour tous les cadeaux qu'elle m'a offerts si généreusement.

Merci à la petite fille qui grandit dans mon ventre et qui me donne un élan incroyable à me surpasser.

Merci à mon conjoint qui accepte entièrement mes anciens chapitres et qui écrira avec moi tous les prochains...

*« **Un livre est comme un jardin**

que l'on porte dans sa poche. »*

- Gladys Taber

À PROPOS DE L'AUTEURE

Trop jeune, j'ai vécu ma plus grande perte jusqu'à ce jour, celle du décès de mon père.

Ce cauchemar m'a propulsée dans une nouvelle vie qui m'a semblé tellement douloureuse. J'ai rapidement perdu le contrôle de ma vie et commencé quotidiennement à faire de l'anxiété. J'ai consulté, je me suis fait aider, mais après trois ans, même si je me portais un peu mieux, je n'arrivais pas à reprendre totalement les rênes de mon existence.

J'ai alors choisi de commencer des études en psychologie. Je me disais que c'était la meilleure manière de me comprendre enfin! Étant très attirée par la science du cerveau inconscient, j'ai choisi l'hypnothérapie.

Après quelques mois d'études seulement, j'avais compris plusieurs aspects de ce qui me créait de l'angoisse et mon mal-être. J'ai donc pu reprendre le contrôle de ma vie.

Après l'obtention de mes diplômes en hypnothérapie et en PNL (programmation neuro linguistique), j'ai ouvert mon cabinet privé et je me suis spécialisée dans le domaine du deuil.

Depuis, je suis thérapeute, conférencière et auteure. Je développe des outils thérapeutiques pour aider les gens à entreprendre un cheminement personnel.

Il n'y a selon moi rien de plus merveilleux que de prendre la responsabilité de sa vie et de travailler sur le plus important, soi-même!

J'ai découvert toute la puissance que possède notre cerveau. Je voulais partager avec d'autres personnes cette nouvelle connaissance. Je voulais aussi leur faire prendre conscience de la portée des choix que nous faisons et de tout ce qui peut en découler. J'en ai fait ma mission de vie!

« Nous ne guérissons pas du passé

en nous y attardant;

nous en guérissons en vivant pleinement

le moment présent! »

- Marianne Williamson

INTRODUCTION

Ce livre a été écrit pour procurer aux gens une vision plus adéquate de ce qu'est le deuil. Est-il vraiment nécessaire de souffrir durant des années avant de recommencer à profiter de la vie?

Grâce à mon expérience de vie, à mes études et à mes clients, j'apporte une vision moderne, une manière de gérer chaque étape de ce cheminement particulier quoique nécessaire. Comme le passé ne changera pas, je vous propose de plutôt regarder vers l'avenir, d'apprendre à vous connaître à travers vos deuils et à choisir la suite de votre vie afin qu'elle devienne exactement ce que vous désirez vivre.

Pour lire ce livre, il n'est pas nécessaire d'avoir vécu un grand deuil ou qu'une personne de votre entourage soit décédée. Le deuil ne concerne pas seulement la mort d'un être humain ou d'un animal domestique, mais bien toutes les pertes qui jalonnent notre vie. Aucune vie n'en est exempte. Vous pouvez choisir de lire ce livre pour vous guérir d'un deuil passé, pour vous préparer à d'éventuelles pertes, qu'elles soient petites ou grandes. Vous pouvez également l'offrir à une personne qui vous semble perturbée et ne plus être en contrôle de sa vie.

Comme aujourd'hui est le premier jour du reste de votre vie, choisissez de la vivre avec toute l'impétuosité de votre cœur, et cela, dès maintenant!

PRÉFACE
JACYNTHE RENÉ

Je lis ce livre alors que ma grande amie est en deuil de sa mère. J'ai la sensation de faire un voyage unique dans le monde des émotions, de l'inattendu.

Ma lecture m'offre une perspective sur une vague qui, lorsqu'elle frappe, nous happe, nous entraine avec elle vers l'inconnu, le non contrôlable. Pertes, peines immenses, maladies, séparations, changements imposés, le deuil parsème notre vie. Des phases lui sont imputables. L'auteure les relate en toute simplicité, intégrité, nous proposant des moyens pour s'aider.

S'entourer est essentiel et ce livre peut devenir l'ami qui comprend. Autant l'être en peine qu'en révolte y trouvera réconfort. L'histoire leur permettra sûrement aussi de relativiser, de vivre pleinement le voyage à chaque station et d'accepter à destination. Voilà la clef de ce périple dans lequel nous accompagne Valérie.

J'ai lu de doux passages relatant des idées essentielles à toujours se remémorer : apprécier ce cadeau de vie, se détacher parfois des émotions ou alors les vivre sans frein, pardonner pour se libérer...

Assurément, j'ai refermé mes pages gonflée de ce désir de profiter de chacune des journées, bien entourée de ceux que j'aime. Certainement, je sais qu'il n'existe qu'un lègue qui importe : l'amour qui se dégage de souvenirs heureux créant ainsi des liens pour toujours.

Vous laissant à votre aventure, je m'en retourne à notre devoir, celui de prendre soin de soi, des êtres aimés et d'être attentif à la vie. Merci Valérie.

Chapitre

UN

SOUDAINEMENT, LA VIE CHANGE!

*« La mort ne s'attarde pas à considérer
ce qui est fait ou reste à faire. »*

— Shantideva

J'avais dix-sept ans, c'était le printemps et je revenais à la maison familiale après avoir complété une journée d'entrainement. Mon sport favori a toujours été le golf. L'été arrivait à grands pas donc, la saison des compétitions. Je devais m'entrainer plusieurs heures par jour, et ce, presque chaque jour.

Une fois arrivée à la maison, j'avais l'habitude de me préparer une grosse collation parce que j'étais affamée et absolument incapable d'attendre que le souper soit prêt. Ce jour-là, j'ai décidé de me faire une belle salade d'athlète constituée de laitue, trois clémentines, une pomme et un peu de vinaigrette aux framboises. C'était ma salade préférée et le temps que j'ai pris à la préparer me semblait être une éternité tellement j'avais faim.

Au moment où mon repas fut enfin prêt à être dégusté, mon père m'a avisée qu'il désirait me parler au salon. J'ai apporté mon appétissante salade avec moi, je me suis assise par terre sur le tapis et j'ai déposé mon bol sur la table.

Avec impatience, et sans intérêt envers le sujet de conversation de mes parents, j'ai piqué ma fourchette au milieu de ma salade et j'ai pris une bouchée beaucoup trop grosse. Juste au moment de mordre cette bouchée de salade croustillante à souhait et remplie d'arômes diverses, mon père qui semblait sûr de lui a pris la parole en nous regardant affectueusement ma sœur et moi :

« Les filles, votre mère et moi avons décidé de nous séparer...! »

Pour la première fois de ma jeune vie, j'ai ressenti une émotion intense et désarmante : l'impuissance! J'étais dé-pourvue de tout contrôle. Je me suis sentie tout à la fois triste et tellement fâchée.

Comment mes parents pouvaient-ils se permettre de briser cette stabilité que nous vivions tous ensemble? Notre vie familiale! Ma stabilité! Pire encore, comment pouvaient-ils prendre une décision aussi importante sans même porter une importance à mon opinion? Mais pour qui se prenaient-ils? Je n'avais jamais vu le coup venir.

De moins en moins appétissante, ma bouchée est restée complètement immobile dans ma bouche, impossible de l'avaler, elle ne passait pas; je l'ai donc crachée et j'ai aban-donné ma salade.

Lorsque mes parents eurent terminé de parler, j'avais la gorge serrée, incapable de réagir. Je ne le savais pas encore, mais ce jour-là, c'était le jour *un* des trois prochains mois qui ont changé le cours de ma vie.

Il fallait que j'affronte cette réalité rapidement, subir les conséquences de cette séparation et suivre le déroulement de la vie parce que mes parents s'étaient déjà préparé à cette nouvelle réalité.

Je devenais victime, comme la plupart de mes amis, de la garde partagée. Je détestais ce qu'était devenue ma vie familiale, mais j'ai dû me plier aux règles. Avais-je un autre choix? Mes parents changeaient sous tous les aspects à un point tel que, parfois, je ne les reconnaissais même plus. Ils semblaient mêlés, perdus... comme s'ils essayaient de vivre une vie qui n'étaient pas la leur.

Environ un mois plus tard, les conflits qui existaient entre mon père et moi étaient assez dérangeants, à un point tel que j'ai décidé de cesser la garde partagée et d'aller habiter à temps complet chez ma mère.

Comme je venais de terminer mon secondaire et que j'avais envie d'apporter un peu de changement à ma vie, j'ai décidé de rédiger un curriculum vitae en vue de me trouver un emploi. Il était plutôt vide étant donné que je n'avais encore jamais travaillé, mais j'étais quand même fière et je me suis mise à le distribuer un peu partout dans certains commerces de la ville où j'avais toujours vécu.

J'étais en attente, mais je ne savais pas trop de quoi. Les jours se suivaient et se ressemblaient. Chaque matin, je me levais, me préparais, prenais ma voiture jusqu'au terrain de golf et revenais quelques heures plus tard.

Un matin, très tôt, alors que ma journée commençait particulièrement bien, j'ai reçu un appel m'avisant que j'étais embauchée comme caissière dans une épicerie bio. Mon premier emploi, enfin! J'allais commencer dans deux semaines. Celle nouvelle m'a vraiment enthousiasmée et a donné le ton au reste de ma journée d'entrainement au golf qui s'est poursuivie comme à l'habitude.

Au retour, dans ma voiture, le volume de la musique étant au plus élevé, je vivais un merveilleux sentiment d'accomplissement et de liberté.

Il ne manquait qu'une seule chose à mon bonheur, c'était ma bouteille d'eau. Il faisait chaud et j'avais tellement soif. Je n'avais qu'à m'étirer pour la récupérer puisqu'elle était tombée juste au pied du siège du passager. Je roulais à environ 80 kilomètres à l'heure dans un petit rang près du terrain de golf, un chemin que j'avais parcouru de nombreuses fois. Je me suis penchée pour la prendre.

La bouteille d'eau récupérée et, presque revenue à ma position initiale, je me suis rendu compte que quelque chose n'allait pas.

Les deux roues du côté droit de mon véhicule roulaient dans le gravier qui bordait la route. J'ai alors donné un coup de volant croyant, même en raison de ma jeune expérience de conductrice, que cette manœuvre me ramènerait sur le chemin. Mais non! Mon véhicule s'est mis à tourner sur lui-même d'un peu plus de 360° me ramenant ainsi en travers de la route.

Une camionnette qui se trouvait derrière moi a réussi à s'arrêter avant de m'emboutir. Abasourdie, j'ai regardé l'autre véhicule et j'ai constaté qu'il y avait trois enfants sur le banc arrière. J'ai éclaté en larmes réalisant alors que pour quelques gorgées d'eau, j'avais mis cinq vies en danger! J'ai rassemblé le peu de courage et d'énergie qu'il me restait pour me rendre jusque chez ma mère.

Il n'y avait personne à la maison. Je tremblais... j'étais encore bouleversée. Malgré les disputes non réglées avec mon père, j'ai décidé de lui téléphoner. Assise sur le comptoir de la salle de bain, le menton sur les genoux, le téléphone a sonné plusieurs coups avant qu'il réponde.

Ouf! J'étais tellement contente de pouvoir lui parler, mais aucune parole n'arrivait à sortir, ma gorge étant trop serrée. J'essayais de parler, mais il ne me comprenait pas. Il se rendait bien compte de ma difficulté et m'a demandé simplement si j'allais bien. Un simple *oui* lui a suffi pour qu'il vienne rapidement me rejoindre chez ma mère.

Une fois arrivé, je lui ai raconté cette péripétie n'oubliant aucun détail. Il n'était pas fâché contre moi et ne m'a pas sermonnée. Il sentait que j'avais vraiment eu peur. Il faut dire que ce n'était pas nécessaire qu'il me dise qu'il fallait toujours garder les yeux rivés sur la route, j'en avais déjà compris l'importance, j'avais eu ma leçon laquelle au moins ne s'était pas conclue par une catastrophe.

Mon père m'a ramenée sur les lieux de l'accident. Il était facile d'identifier l'endroit où cet incident s'était produit exactement, car il y avait des traces de pneus sur le pavé.

Après quelques secondes d'observation, mon père est sorti du véhicule en me demandant de le suivre. Il s'est assis du côté passager; j'ai compris qu'il désirait que je conduise pour effectuer le voyage de retour. Je paniquais!

Il a pris le temps de m'expliquer l'importance de conduire à nouveau le plus rapidement possible après un tel genre d'épisode pour ne pas en rester traumatisé. Il faut tout de suite briser cette peur que je m'étais créée en à peine quelques secondes. J'ai donc pris le volant, le cœur à l'envers, pour retourner à la maison. J'ai profité de ce moment avec mon père pour lui annoncer que j'avais trouvé un emploi. Il est soudainement devenu émotif et en a profité à son tour pour me dire :

« Je m'ennuie énormément de toi... je t'aime et j'aimerais que tu reviennes vivre avec moi une semaine sur deux. Tu me manques trop. »

Bien que sa demande m'ait touchée, je n'en ai pas du tout été surprise, parce que j'ai toujours senti qu'il m'aimait sincèrement. J'avais très envie de réaménager chez lui, mais j'avais besoin de m'assurer que des disputes inutiles n'enlaidiraient plus notre quotidien.

Mon père m'a proposé de m'amener en Beauce, là où se tenait le championnat provincial de golf, la semaine précédant la compétition afin que je puisse m'entrainer sur place et me familiariser avec le terrain. Je me suis sentie très choyée qu'il prenne quelques-unes de ses journées de congé durant l'été pour s'occuper de ma préparation en vue de ce tournoi prestigieux qui avait tant d'importance à mes yeux.

Au jour convenu, comme il me l'avait proposé, nous avons pris la route en direction de la Beauce. Je ne me souvenais pas avoir passé un aussi bon moment avec lui.

Comme nous avions plus de cinq heures de route à faire et que je n'habitais plus chez lui depuis quelques semaines, nous avions des confidences à échanger. J'adorais ces moments où il me traitait comme une adulte et non comme une gamine. Il me posait de vraies questions et il s'attendait à ce que je lui fournisse de vraies réponses. C'était facile d'être honnête avec lui, car nous avions toujours été récompensées ma sœur et moi pour notre honnêteté, et cela, même si la réponse n'était pas toujours celle espérée par nos parents.

Nous avons donc passé quelques jours en Beauce à jouer au golf du matin au soir. Sur le chemin du retour, mon père a réitéré sa demande d'aller vivre chez lui une semaine sur deux. Évidemment, j'ai accepté. En fait, j'avais même hâte de retourner y vivre parce que j'avais passé un si bon moment seule avec lui. Ce voyage nous avait rapprochés et avait même solidifié nos liens.

Au retour chez ma mère, lorsque nous y sommes arrivés, à mon grand étonnement, mes deux parents récemment séparés ont passé un moment ensemble à se parler. J'ai même surpris plusieurs échanges de sourires et, par le fait même, de complicité. Je me suis demandé s'ils allaient reprendre leur vie de couple.

Ma première journée de travail est arrivée; il s'est avéré que c'était une journée de formation. Le lendemain allait être ma première journée au service à la clientèle. J'avais hâte de vivre cette nouvelle aventure.

Vendredi, 12 août 2005, 7 h 00. Je me suis réveillée et préparée, j'ai pris un copieux petit-déjeuner santé et je me suis rendue au travail avec ma voiture. J'appréciais ma nouvelle routine et j'avais le sentiment que j'allais passer une superbe journée.

En dépit du fait que nous n'étions qu'en avant-midi, il y avait beaucoup de clients, je n'arrêtais pas une seconde. Malgré mes occupations, j'avais remarqué que ma gérante avait laissé la porte de son bureau ouverte alors que la veille, elle accordait une importance capitale à ce que cette porte reste fermée en tout temps. Pourquoi faisait-elle exception aujourd'hui?

J'ai continué à servir mes clients, après tout, je n'étais qu'une employée, je n'avais pas à me mêler de ce qui ne me regardait pas. À un moment donné, j'ai remarqué une amie de ma mère laquelle je me suis dit devait faire achats à cet endroit. Je l'ai saluée avec ma bonne humeur habituelle et un sourire éclatant. Elle s'est approchée de moi tranquillement, sans sourire, comme si son visage était figé, sans expression. Elle s'est glissée derrière la caisse tout près de moi, m'a tenue par les épaules, m'a regardée droit dans les yeux et m'a dit :

« Ton père a eu un accident de moto. »

Je me suis dit alors en moi-même : « Ah non! Que lui est-il arrivé ? J'espère que ce n'est pas grave. » Elle n'a jamais cessé de me fixer et a ajouté : « Je suis désolée de t'apprendre... qu'il est décédé! »

Cette dame et ma gérante m'ont dirigée vers son bureau déjà ouvert.

*« **Notre plus grande gloire n'est point de tomber, mais de savoir nous relever chaque fois que nous tombons.** »*

- Confucius

Chapitre

DEUX

LA VÉRITABLE ESSENCE DE CE LIVRE

« Tant que tu n'acceptes pas la mort,
tu restes inachevé, ta nature la plus profonde
et ta conscience éternelle t'échappent.
La peur de vivre comme la peur de mourir
rendent le bonheur impossible. »

- Drukpa Rimpoché

Cette histoire est la mienne et j'utilise mon expérience de vie tout au long de ce livre pour démontrer les concepts que j'ai développés au niveau du deuil. Le décès de mon père est jusqu'à maintenant le deuil le plus intense et le plus difficile que j'ai eu à vivre de toute ma vie.

J'ai décidé d'écrire ce livre le jour où j'ai réalisé qu'un deuil ne survenait pas seulement à la suite d'un décès. Nous vivons tous des deuils petits et grands. Notre vie est parsemée de deuils divers. Les comprendre et les gérer est une les excellente manière d'être plus heureux. Ils nous rendent plus conscients de ce que représente notre vie pour nous. En fait, savoir gérer nos petits deuils nous prépare à affronter les plus grands. Ne pas accorder d'importance à nos petits deuils nous handicape quant aux plus grands qui se présenteront dans l'avenir.

Mon livre s'adresse à tous ceux qui vivent des deuils, c'est-à-dire, chaque être humain. Bien sûr, les deuils sont tous différents et chaque personne avance à son rythme, mais notre façon de les gérer revient toujours au même. J'ai tenté d'inclure dans cet ouvrage à peu près tout ce qui englobe le deuil. Je couvrirai les principaux deuils de la vie ainsi que les phases qui s'ensuivent.

J'ai travaillé à trouver une approche différente de celle que nous connaissons déjà. Une démarche plus moderne et actuelle, moins pénible, applicable par quiconque veut savoir de quelle façon s'en sortir.

Tout au long du livre. J'utilise des exemples personnels de ma vie quant aux deuils qui ont jalonné mon parcours jusqu'à maintenant. Vous pourrez facilement vous identifier à une expérience, une phase, certaines difficultés, une réaction, ou autre.

Ce livre peut devenir pour vous un outil qui vous aidera à mieux comprendre certains aspects reliés à qui vous êtes, ce qui vous permettra d'avancer. Profitez de cette lecture pour vous questionner, vous remettre en question et cheminer.

À mon avis, l'évolution est la clef d'un bien-être permanent et le cheminement personnel génère une évolution constante.

Lorsque j'étais en secondaire 3, Marina Orsini, actrice et animatrice à la radio, très connue et estimée de la population québécoise, est venue à mon école pour donner une conférence. Ce jour-là, grâce à elle, j'ai appris quelque chose de très important que je n'ai jamais oublié : « *Ça n'arrive pas seulement aux autres.* »

Beaucoup plus tard, j'ai réalisé que ce qu'elle voulait vraiment que nous comprenions, c'est que diverses situations arrivent à tout le monde! Elle a aussi dit : « *Dites aux gens que vous aimez, que vous les aimez, parce que vous ne savez jamais quand ce sera la dernière fois que vous aurez le privilège de leur dire.* » J'applique toujours ce judicieux conseil.

Gérer nos deuils commence d'abord par la gestion de nos pensées et de nos angoisses. Cet apprentissage nous mène à *se faire à l'idée* et à avancer dans notre vie de manière plus saine et équilibrée donc, à être plus heureux. C'est d'ailleurs pour cette raison que j'ai choisi *SE FAIRE À L'IDÉE* comme titre de ce livre, car si ce n'est pas le cas... on ne s'en sort tout simplement pas, ou très difficilement.

En seulement trois mois, je suis passée d'une famille presque fonctionnelle à une famille entièrement dysfonctionnelle avec le pilier de la famille en moins. Disons que ce genre de situation nuit un peu à la stabilité d'un enfant. Ayant dix-sept ans, très peu d'expérience de la vie, j'avais décidé de m'obstiner et de tenir tête à la vie. Je trouvais injuste d'avoir à vivre ces épreuves. J'ai donc décidé d'emprunter la voie de la pitié et de l'apitoiement. Il m'a fallu environ quatre ans pour *me faire à l'idée*. Quelle perte de temps! Surtout si l'on considère que ce temps est irrécu-pérable!

La principale raison de nos souffrances provient du fait que nous refusons de perdre. Nous sommes des êtres d'attachement. La mort, nous l'ignorons et la fuyons. Nous craignons tous la perte d'un être cher ainsi que les répercussions et les conséquences de cette perte dans notre vie parce que c'est vraiment douloureux. Le mot deuil vient d'ailleurs du latin *doulos* qui signifie douleur.

Néanmoins, gérer adéquatement le processus du deuil nous offre une magnifique récompense, celle de se souvenir de la personne décédée ou de ce que l'on a perdu, et cela, sans en souffrir indéfiniment.

Le deuil est un processus lent et la plupart du temps douloureux. C'est le début d'un travail à temps plein. Comme nous sommes des êtres impatients vivant dans une société de consommation où nous voulons tout, *tout de suite*, nous rendons nous-mêmes le travail du deuil beaucoup plus difficile qu'il ne devrait l'être.

Le deuil est également une prise d'autonomie, car vous êtes la seule personne qui peut décider d'avancer, d'évoluer et de *se faire à l'idée*. Tout se fait à votre rythme. Le but de ce travail est d'arriver à l'acceptation de la situation, peu importe en quoi elle consiste. Les résultats seront visibles et bénéfiques seulement lorsque vous aurez accepté de cheminer à travers le deuil.

Le deuil est une réaction psychologique synonyme de douleur, détresse, déchirement et détachement. Ce n'est pas du tout un chemin facile, même s'il est obligatoire. D'où l'importance de *se faire à l'idée*.

Il est important de savoir que le deuil est une réaction, pas une maladie mentale! Ce n'est pas une faiblesse, mais bien une nécessité. En fait, nier un deuil ou refuser de faire un deuil est immature et démontre un ego démesuré. Ces personnes décident malheureusement de stagner dans leur évolution.

Affronter le deuil est essentiel à notre santé mentale et émotive. Si vous faites partie de ceux qui refusent d'avancer à travers un certain deuil, choisissez dès aujourd'hui de remédier à ce comportement; vous vous sentirez beaucoup mieux, et cela, en peu de temps.

Je vous invite à vous remettre en question, à reconnaitre votre vulnérabilité et à vous identifier aux principes que je vous soumets très humblement.

Il est souhaitable de découvrir tous les outils dont vous aurez besoin pour réaliser et comprendre que le seul et le meilleur chemin pour être bien à l'intérieur de soi, c'est celui de l'acceptation, le chemin qui mène directement à *se faire à l'idée...*

« Il ne faut jamais aller plus vite

que sa vitesse. »

- Philippe Labro

Chapitre

TROIS

LES DIFFÉRENTS DEUILS

*« Même quand la blessure guérit,
la cicatrice demeure! »*

- Publius Syrus

Il faut savoir reconnaitre un deuil lorsqu'on en vit un!

Il existe un nombre indéfini de deuils auxquels nous avons dû faire face dans le passé et d'autres auxquels nous devrons faire face dans l'avenir. Toutefois, il y a deux catégories très distinctes : les deuils vécus par les enfants et ceux vécus par les adultes. Ils sont très différents, car les enfants ont encore une grande naïveté et presque aucune expérience de vie.

Malgré que très peu d'enfants liront ce livre, je parlerai quand même des deuils reliés à l'enfance du fait qu'en tant que parent, ou membre adulte de la famille, il est possible que vous ayez à les guider et même à les préparer dans certains cas. Peut-être aussi vous reconnaitrez-vous.

Les deuils de votre enfance peuvent encore aujourd'hui avoir un énorme impact sur votre vie d'adulte, particulièrement au niveau inconscient, s'ils ont été mis de côté ou relégués aux oubliettes depuis tout ce temps.

Ce n'est pas parce que vous n'y pensez plus régulièrement qu'ils n'ont plus d'incidences sur votre vie actuelle, si vous ne les avez pas réglés au moment opportun.

LES DIFFÉRENTS DEUILS DES ENFANTS ET DES ADOLESCENTS

Certains événements sont particulièrement intenses pour les enfants, ce qui a pour effet de les propulser, malgré eux, dans le deuil.

En tant que parent, il est important de savoir de quelle façon agir et réagir pour aider votre enfant à traverser une telle période. Il ne faut surtout pas penser que vous pouvez éviter à votre enfant de vivre toute cette gamme d'émotions. Le mieux que vous puissiez faire, c'est de leur montrer de quelle façon les vivre le plus harmonieusement possible.

Ce n'est pas ce que vous faites pour vos enfants, mais ce que vous leur enseignez à faire pour eux-mêmes qui les aide à devenir des adultes responsables, autonomes et épanouis.

LA SÉPARATION DES PARENTS

Dans les cas de séparation des parents, le but n'est pas d'accentuer la culpabilité chez le parent séparé. Tous les parents qui se séparent ont, la plupart du temps, de bonnes raisons de le faire. Dans la majorité des cas, lors d'une séparation, les deux parents s'entendent sur une chose : le bien-être de leur progéniture! Découvrir leurs réactions et apprendre à les écouter et les aider n'est qu'à votre avantage.

Si c'était vous l'enfant dont les parents ont choisi la séparation, quel que soit votre âge aujourd'hui, peut-être pourrez-vous comprendre davantage ce que vous avez ressenti lorsque vos parents se sont séparés.

La séparation des parents cause un déséquilibre très important au niveau émotionnel chez l'enfant. Pour lui, il est très difficile, triste et bouleversant de voir ses parents prendre chacun une nouvelle route. Vous l'avez éduqué dans une stabilité familiale durant des années et, d'un seul coup, vous lui enlevez. Il devra s'adapter à un nouveau mode de vie.

Évidemment, la réaction n'est pas exactement la même lorsque les enfants ont atteint l'âge adulte. En bas âge, ils ne comprennent pas encore en quoi consiste la vie de couple et ils n'ont pas à le savoir non plus. Même si les parents sont constamment en train de se disputer, dans la tête d'un enfant, la séparation ne fait pas partie des solutions possibles. Même s'il perçoit certains signes, certains changements, son cerveau nie automatiquement la possibilité d'une telle finalité. Il ne faut surtout pas prendre pour acquis que les enfants comprennent, parce que même s'ils la conscientisent, ils n'envisagent tout simplement pas cette hypothèse.

Vous pouvez préparer votre enfant à une éventuelle séparation. De cette manière, l'enfant débutera son deuil, un pré-deuil, ou un deuil dit, anticipatoire, avant le déménagement de l'un de ses deux parents. La séparation sera alors graduelle et beaucoup mieux assimilée et acceptée par l'enfant. Mettre un enfant ou un adolescent devant un fait accompli aussi intense amène souvent le jeune à se rebeller. La préparation n'est *jamais* du temps perdu.

Vous pouvez également encourager votre enfant à parler avec ses amis, particulièrement à ceux dont les parents sont séparés. Partager ses émotions le libérera déjà d'un certain poids. De plus, les enfants sont portés à parler des avantages de la garde partagée.

Laissez votre enfant s'exprimer de la manière dont il préfère, soit en parlant, écrivant, dessinant, jouant de la musique, faisant du sport, ou autre. S'il a besoin de soutien, offrez-lui-en ou tournez-vous vers des profes-sionnels qui sont munis de moyens pour le conseiller.

Voyez cette approche comme un investissement de grande valeur dans la vie de vos enfants. Vous n'avez pas idée à quel point votre décision peut changer leur futur. Pour eux, elle peut faire la différence entre vivre seul ou en couple plus tard, respecter les autres êtres humains ou non, avoir à leur tour des enfants ou non.

Il va sans dire que chaque enfant devra vivre toutes les phases inhérentes au deuil et affronter tous les deuils qui jalonneront son parcours de vie. L'aide que vous pouvez lui apporter est infinie et inestimable et l'aidera à se prendre en main lors de prochains deuils.

Par contre, il faut faire attention de ne pas les laisser vous manipuler. Vous n'avez pas à leur en donner plus qu'il n'en faut. Ils auront davantage besoin de structure et d'enca-drement. Ne vous laissez pas attrister par votre enfant qui vous dit qu'il désire aller vivre chez l'autre parent. Il cherche la facilité.

La vérité, c'est que l'enfant comprend *inconsciemment* l'encadrement comme étant une preuve d'amour. Un enfant qui obtient tout ce qu'il désire tout le temps aura d'autres problèmes plus tard. Il est de votre responsabilité de trouver l'équilibre à travers toute cette période pour qu'il considère, à l'âge adulte, que la séparation de ses parents a été un épisode de sa vie et non un handicap, un détour sur son chemin et non un ravin.

UN DÉMÉNAGEMENT ET/OU UN CHANGEMENT D'ÉCOLE

Dans la tête d'un enfant, le luxe n'existe pas. Pour lui, le confort n'est pas une maison plus grande ou plus récente, mais plutôt la stabilité. Le mieux dans une telle situation, c'est de le préparer longtemps à l'avance. Il faut prendre en considération qu'il y a une échelle importante dans la tête d'un enfant.

Rappelez-vous lorsque vous étiez petit, à quel point trente minutes de voiture pouvait vous sembler long en comparaison d'aujourd'hui. L'enfant ne vivra pas de la même manière un déménagement dans la même ville, dans une autre ville, dans une autre région, dans une autre province ou dans un autre pays. Plus vous vous éloignez, plus vous l'éloignez de sa stabilité.

Il faut aussi prendre en considération le changement d'école. Un enfant y crée des repères solides. Il en fait même une de ses principales références d'évolution. Il s'y voit grandir, apprendre, avancer, et autres. Un changement d'école crée également de l'instabilité. La meilleure chose à faire si ce changement est inévitable, c'est de le préparer d'avance. Il est important d'entretenir certaines conversations avec lui afin d'accentuer les avantages de ce changement, tout en le préparant aux désavantages. Vous évitez ainsi les mauvaises surprises qui pourraient l'attrister, le déprimer ou le marquer à vie. Encore là, je n'insisterai jamais trop à propos du fait de l'écouter sérieusement et de le respecter.

À moins de raisons exceptionnelles, le changement d'école en milieu d'année scolaire est à éviter. Une chose est certaine, vous ne pourrez pas exiger le même rendement scolaire alors qu'il doit, malgré lui, apprendre à connaitre de nouvelles personnes, se refaire des amis, comprendre ses nouveaux enseignants, connaitre les lieux, refaire son horaire, et bien d'autres perturbations. Avouons que ce n'est pas une mince tâche.

Ces changements peuvent même l'amener à perdre une partie de sa confiance en lui si, en plus, il se fait rejeter par d'autres élèves ou s'il voit son rendement scolaire chuter. C'est un très grand risque à prendre. Il faut donc que ce risque soit calculé et clairement expliqué à l'enfant. Il a besoin d'écoute, d'être entendu et rassuré.

Au niveau du secondaire, le changement d'école est particulier aussi, pour une autre raison. À cet âge, l'adolescent crée son identité sociale et affective. La seule bonne raison de le changer d'école est s'il vous le demandait. Le changer d'établissement scolaire malgré lui, même si vous avez une raison plausible, peut l'amener à se rebeller. Il vivra à l'intérieur de lui de la confusion. Bien sûr, vous les parents, serez ceux qui en paieront le gros prix.

À cette étape, la meilleure option est de trouver quelqu'un avec qui votre enfant peut exprimer ses sentiments et cette personne ne peut pas être vous, le parent.

Imaginez maintenant, et c'est très fréquent ces dernières années, que votre enfant doive vivre la séparation de ses parents, suivie de témoignages en cour pour dire à un juge avec lequel de ses deux parents il désire le plus vivre, alors qu'au fond, il veut vivre avec les deux! Il ne le peut pas parce que l'un des deux parents déménage dans une autre ville éloignée de ses repères. Alors, l'enfant se retrouve dans une ville inconnue et dans une nouvelle école. Le tout, durant l'année scolaire.

Nous avons reconnu ici *quatre* deuils différents pour un seul enfant, et cela, en quelques mois seulement : une séparation, le choix de vivre avec un des deux parents, un déménagement, un changement d'école. Il est donc normal que l'enfant réagisse de manière inhabituelle étant confronté à des situations qui lui échappent.

LE DÉCÈS D'UN ANIMAL DE COMPAGNIE

Dans le cas où vous possédez un chien âgé de dix ans, il est facile de préparer votre enfant à son décès en évoquant le fait que les animaux ne vivent pas aussi longtemps que les êtres humains. Ces explications peuvent être données à un enfant de tout âge.

Une préparation ne consiste pas à seulement exprimer que l'animal va mourir. Il faut amener l'enfant à voir la beauté de la mort, et cela, même si ce n'est pas évident. Le cycle de la vie comporte également celui de la mort, tout comme les saisons. Faites prendre conscience à votre enfant de tout ce qui l'entoure dans la nature, tout ce qui est vivant et tout ce qui meurt comme, par exemple, les feuilles chaque saison qui vivent, déclinent et meurent.

Dans le cas où vous avez un chien âgé de deux ans qui décède accidentellement, tout est différent. Votre enfant et, probablement vous-même, serez anéantis par cette circonstance navrante.

Il est d'une importance capitale qu'il puisse avoir recours à tout le soutien dont il aura besoin. Il sera marqué à vie par cet événement, mais les minutes, les heures ou les jours qui suivent cette annonce détermineront ses futures réactions lors de prochains deuils qui surviendront tout au long de sa vie.

Ne le laissez pas s'isoler. Il s'était attaché à cet animal plus que vous ne pourriez le penser, il était probablement son meilleur ami. Ne prenez pas cet état de fait à la légère. Expliquez-lui qu'il a le droit de vivre sa peine à sa manière et que vous êtes prêt à l'écouter, s'il a besoin de se confier.

Un autre scénario serait celui où vous achetez un animal à votre enfant parce qu'il vous le demande. Vous vous rendez compte que cette acquisition occasionne plus de responsabilités que prévu et que votre enfant ne respecte pas l'entente qu'il avait conclue avec vous qui était celle de prendre soin de l'animal. Vous décidez alors de vous en départir, même s'il veut le garder... aucune solution miracle!

Réfléchissez bien avant d'acheter un animal à votre enfant, car il peut devenir son meilleur ami!

Lui enlever par la suite la présence réconfortante de son ami est l'une des pires choses que vous puissiez faire, même s'il s'en occupe peu ou mal. Vous êtes l'adulte, c'est à vous d'aider votre enfant à respecter les promesses qu'il vous avait faites lors de l'achat.

Vers l'âge de douze ans, mes parents nous ont acheté à ma sœur et moi chacune un dégus, un mammifère rongeur de la grosseur d'un rat qui vient soit du Chili ou du Pérou. Ses particularités sont deux grandes dents en avant comme un castor et une longue queue sans poil.

Je passais tout mon temps libre avec lui. Je l'avais prénommé Rapido parce qu'il se déplaçait toujours vite. Je le regardais manger, se laver ou je le tenais fréquemment dans mes mains. Mon cousin en avait un lui aussi. Il a déjà laissé la porte de la cage ouverte et son dégus en a profité pour gruger les fils électriques dans toute la maison.

À partir de ce moment, ma sœur et moi n'avions plus le droit de sortir les nôtres de la cage.

Étant donné que je croyais que c'était une réaction exagérée de la part de mes parents, je le faisais quand même. J'amenais toujours mon nouveau partenaire de vie avec moi dans ma chambre durant ma période de devoirs et d'études. Je l'ai tranquillement éduqué à rester sur mon pupitre sans ronger mon étui à crayons en cuir ni mes feuilles.

Il passait des heures à me regarder effectuer mes travaux scolaires. Je le trouvais aussi intelligent qu'un chien. Parfois, il se couchait sur le dos au milieu d'une feuille sur laquelle j'étais en train d'écrire pour que je m'occupe un peu de lui! Non mais, il s'agissait d'un rat!

Un jour, la femelle étant enceinte, le mâle était beaucoup moins disponible parce qu'il passait tout son temps à virer l'intérieur de la cage à l'envers pour installer la future mère le plus confortablement possible. Quelques semaines plus tard, plusieurs petits bébés dégus ont vu le jour. À un moment donné, mes parents ont décidé qu'il y en avait trop. Jusque là, tout allait bien, je comprenais.

Ils ont décidé que nous devions nous débarrasser des deux parents et des bébés, mais que nous pouvions chacune choisir un bébé afin de pouvoir les garder le plus longtemps possible et, cette fois, deux femelles pour ne plus avoir de portée. J'ai alors compris que je devais me séparer de Rapido, même si j'étais en total désaccord.

J'ai accompagné mon père et ma sœur pour amener une demi-douzaine de dégus dans les bois, ainsi que mon Rapido.

Je pleurais sans cesse en flattant la bedaine de mon ami envers lequel je me sentais terriblement infidèle. Il avait l'habitude de faire des clins d'œil, comme s'il avait un œil plus sec que l'autre.

En arrivant à destination, j'ai eu droit à son dernier clin d'œil, comme si c'était lui qui me consolait. Quelle était la raison pour laquelle je l'abandonnais si je l'aimais tant? Même si je suppliais mes parents, ils ne me comprennaient pas et ne fléchissaient pas devant mon insistance.

Ce fut beaucoup plus tard que j'eus droit à des explications. La vérité était que ma mère avait surpris mon Rapido à copuler avec les bébés femelles. Elle en a été profondément choquée et a alors décidé qu'elle ne voulait pas que ses enfants assistent à leurs ébats sexuels.

Finalement, à cause d'un phénomène naturel (l'instinct animal), j'ai été forcée de me séparer d'un animal en parfaite santé que j'aimais plus que tout. Ce fut mon premier grand deuil. Je ne me suis jamais occupée du bébé que j'avais eu le droit de garder, je ne l'aimais pas. Il est très difficile de remplacer un grand amour.

Malheureusement, l'histoire ne s'arrête pas là. Huit ans plus tard, à l'âge de vingt ans, je vivais seule en appartement et j'ai décidé d'acquérir un chat. Quatre mois plus tard, mon chat était obèse, mal élevé et il urinait partout, même dans mon lit. Je n'aurais jamais cru être un aussi mauvais maître. Pourtant, je l'aimais, je nettoyais sa litière et je le nourrissais.

Ce n'est qu'à ce moment-là que j'ai réalisé l'ampleur de mon vieux deuil mal géré. J'ai donc commencé à travailler sur ce deuil, j'ai pardonné à mes parents d'avoir fait ce choix, je me suis pardonné d'avoir abandonné Rapido et j'ai pu passer à autre chose.

UN HANDICAP OU UNE MALADIE

Un enfant ayant un handicap ou une maladie se sent automatiquement de lui-même rejeté, isolé et différent. Ce sentiment s'accentue ensuite à l'école. Les jeunes sont souvent méchants, ils ne comprennent pas encore les conséquences de leurs paroles et de leurs gestes.

Il est important comme parents de ne pas le traiter comme une victime. Au contraire, vous devez l'encadrer et l'aider à développer sa confiance en lui-même, son estime et son état d'esprit positif.

LE REJET DES PROCHES

Un jour, les enfants, surtout à l'adolescence, se mettent à changer, à se comporter différemment et à s'affirmer. C'est à ce moment qu'ils ont le plus besoin de soutien parental et familial, même s'ils disent le contraire. C'est un âge déterminant quant aux choix qu'ils feront et au comportement qu'ils adopteront. Certains commencent à consommer, d'autres reflètent leur personnalité à travers leur tenue vestimentaire, leur coiffure, le maquillage, le tatouage ou les *perçages*.

Les plus grandes sources de rejet de la part de la famille sont souvent dues à la consommation de drogues, au décrochage scolaire, à l'orientation sexuelle ou au choix d'un métier socialement jugé inadéquat, comme danseuse nue ou vendeur de drogues, par exemple.

Lorsqu'un adulte subit du rejet, en général, il s'en sort assez bien parce qu'il peut assumer ses choix et ses réactions.

Malheureusement, bien que les adolescents se croient forts et en pleine possession de leurs moyens, ils n'ont pas encore la capacité d'assumer les choix qu'ils font et, surtout, les conséquences qui en résulteront à moyen/long terme. Ils sont encore dans une phase où ils cherchent l'appui des gens qu'ils aiment, et cela, même s'ils savent qu'ils font parfois de mauvais choix.

Les parents éduquent leurs enfants avec certaines valeurs familiales d'appui inconditionnel... tant que tout va bien!

Un enfant ne devrait pas avoir à se battre pour se faire accepter. De plus, lorsque ses parents lui démontrent leur mécontentement, l'enfant, lui, va rester sur ses positions et persister dans ses revendications. Marchez aux côtés de votre enfant sur ce chemin, même si selon vous, ce n'est pas le bon. Vous serez alors beaucoup plus en mesure d'être un bon conseiller.

Si, dans un autre cas, ce sont les grands-parents qui rejettent l'enfant, c'est le rôle du parent de parler aux membres problématiques de la famille. L'enfant ne devrait pas avoir à se battre seul. Une telle situation ne fait que causer une plus grande fermeture d'esprit et aggraver son mal-être. Le ravage diminue considérablement lorsque l'enfant se sent appuyé, même s'il ne le laisse pas paraitre. Ces êtres humains sont vos enfants et les adultes de demain. Il faut être attentif, compréhensif et ouvert, ils en ont tellement et réellement besoin.

LE DÉCÈS D'UN PROCHE

Une des pires choses à faire est de ne jamais aborder le sujet de la mort avec votre enfant jusqu'à ce que survienne le décès d'un membre de la famille.

Lors d'un décès, l'équilibre d'un enfant s'atténue parce qu'il est ébranlé et qu'il se questionne sur tout. Pourquoi la mort? Pourquoi la vie? Pourquoi si jeune? Pourquoi pas moi? D'où venons-nous? Où allons-nous? L'enfant se retrouve impuissant et il est alors plongé dans l'incompréhension, probablement pour la première fois de sa vie.

Ne sous-estimez pas le décès d'une arrière-grand-mère, par exemple. Ayant besoin d'explications, l'enfant sera ouvert à vos réponses selon vos connaissances et votre expérience. Il a aussi besoin de soutien et d'écoute. Laissez-le parler même si tout ce qu'il dit n'a pas grand sens selon vous, au moins il s'exprime à quelqu'un qu'il aime et respecte.

Le décès d'un proche n'est pas nécessairement celui d'un des membres de la famille élargie. Un décès très difficile à vivre pour un adolescent est le suicide d'un ami de son âge ou encore celui d'un jeune de son école ou d'un professeur suite à une maladie ou autre; une personne qu'il côtoyait presque quotidiennement.

Les enfants ne savent pas de quelle façon intégrer la mort à leur monde personnel. Ils sont brutalement dépouillés de leur innocence. Il ne faut pas se contenter d'une seule discussion.

Il est primordial d'entretenir des dialogues à propos de la mort à l'occasion pour savoir où il en est rendu dans sa compréhension et son évolution. Vous devez l'amener à considérer la mort comme partie intégrante de la vie, de sa vie.

Nous consacrons tellement de temps à enseigner la vie à nos enfants, pourquoi ne pas aussi leur enseigner l'aspect incontrôlable de la mort? Nous ne devrions pas obliger ou empêcher un enfant d'assister à des funérailles. Impliquez-les, laissez-les choisir.

Vous n'êtes pas obligé de détenir toutes les réponses, ne vous mettez pas trop de pression, les enfants ne perçoivent pas votre incapacité à répondre comme étant une faiblesse de votre part.

Leur dire : « Je m'excuse, mon chéri, mais je n'ai pas la réponse », vous grandit à ses yeux. Expliquez-leur la mort aussi simplement que vous le pouvez, avec douceur et bonté.

Répondez honnêtement à leurs questions en utilisant un vocabulaire adapté à leur âge.

Les enfants posent des questions très claires, directes et crues, ne soyez donc pas surpris qu'ils ne prennent pas de détour. Où est le corps ? Qu'est-ce qu'il mange ? A-t-il la télévision ? Quand va-t-il se réveiller ?

Vous devez répondre, mais évitez d'utiliser des mots tels que brulé, vers, décomposition et d'autres mots du même genre qui ne font qu'accroitre leur désarroi.

Une réponse convenable serait par exemple : « La mort de l'être humain survient lorsque son cœur cesse de battre. »

Le but est qu'il comprenne qu'on peut mourir de plusieurs choses, de différentes manières, sans dramatiser. Il ne faut en faire ni un film d'horreur ni un conte de fées, ni embellir la mort ni l'enlaidir.

À la suite du décès d'un des deux parents, certains enfants seront tentés de prendre consciemment ou inconsciemment la place du parent manquant.

Ne le laissez pas faire, ne permettez pas qu'il endosse ce rôle qui n'incombe pas aux responsabilités des enfants. La raison pour laquelle les enfants peuvent sentir l'obligation de le faire est que le parent manquant représentait un idole, un modèle à ses yeux.

Un enfant reste un enfant, chacun sa place; on ne doit pas intervertir les rôles, c'est à l'adulte de veiller sur l'enfant et non l'inverse.

Une fausse croyance existe encore à l'effet de ne pas parler de la personne décédée le jour de Noël. La raison de ce comportement est d'essayer d'éviter des moments de tristesse lors d'un moment de réjouissance. La vérité c'est que tous les participants ont eu une ou plusieurs pensées envers cette personne aimée.

Il est plutôt recommandé de prendre un moment où l'attention de chacun est dédiée à cette personne, comme un court discours émis par un des membres de la famille, par exemple, un temps où chaque participant pense en même temps à cette personne.

Cette introduction aura pour effet de passer à autre chose par la suite. Permettez aux gens que vous estimez d'être libres de pouvoir dire et vivre leurs émotions. La suite des choses sera plus agréable et joyeuse.

À RETENIR

Une des choses à retenir est le fait que les enfants imitent leurs parents lors d'un deuil. Ils croient que les réactions de leurs parents sont toujours les meilleures, c'est la raison pour laquelle il faut leur offrir un modèle qui soit ni insensible ni dépressif.

Vous jouez un rôle de programmation dans l'esprit de vos enfants; ils enregistrent vos réactions et auront les mêmes à l'âge adulte. L'expression bien connue l'exprime bien : la pomme ne tombe jamais bien loin de l'arbre.

L'expérience du premier deuil que vivra un enfant influencera tous ceux qui surviendront au fil des années de sa vie ainsi que plusieurs niveaux de sa vie adulte. Il repro-duira ce qu'il connait. Il est donc important de bien les guider.

Remarquez les réactions de vos enfants, ils sont de bons professeurs durant leur enfance dû à leur naïveté et leur pureté.

LES DIFFÉRENTS DEUILS DES ADULTES

PERTE D'EMPLOI

Que nous ayons quitté notre emploi ou reçu un avis de mise à pied, une telle expérience est souvent très difficile à accepter voire même traumatisante, à cause du sentiment d'injustice qui en découle. Il s'insère en nous un sentiment d'humiliation, une diminution d'estime de soi et notre confiance en nous en prend un coup.

Malgré tout, il ne faut pas se laisser abattre, à quoi ça servirait de toute façon! Il faut retrousser nos manches et chercher un autre emploi, même s'il fallait changer de profession et que ce ne soit pas un exercice facile. Bien que la frustration soit normale, il ne faut pas laisser cette situation nous anéantir et gruger notre énergie nous empêchant ainsi de maintenir une attitude mentale positive. Un déferlement d'émotions négatives ne créerait qu'une source jaillissante de frustrations supplémentaires.

Il faut donc trouver un antidote à cet accablement. Abordez, par exemple, la possibilité de suivre des cours pour trouver un emploi plus approprié à vos talents et vos forces.

Confiez-vous à votre conjoint, un ami, un collègue ou un professionnel pour trouver de nouvelles pistes à explorer. Il ne faut surtout pas rester prisonnier de vos angoisses et de vos peurs. Croyez en vous et en votre potentiel. Votre nouvel employeur ressentira votre volonté de donner le meilleur de vous-même. C'est tout à votre avantage d'exprimer votre vision positive de la chose.

« Ne vous souciez pas d'être sans emploi;
souciez-vous plutôt d'être digne d'un emploi. »

- Confucius

ARRÊT VOLONTAIRE OU FORCÉ D'UN SPORT

Le meilleur exemple pour parler du deuil d'un sportif est lorsque l'athlète se blesse ou qu'il est victime d'un accident grave. Dans plusieurs cas, la blessure déclenche un arrêt temporaire de l'entrainement quoique, parfois, elle cause l'arrêt complet.

Ce scénario est identique à la perte d'un emploi parce que l'athlète passe tout son temps libre à s'entrainer. Son sport est sa passion. Il a fait de nombreux sacrifices dans le passé pour atteindre un objectif précis. Il fait face dorénavant à un défi de taille.

Les sportifs ont une grande force de caractère. Ils sont obstinés et ont un pouvoir de concentration pour la plupart très élevé. L'athlète doit faire un deuil, mais il s'en sortira. Il lui suffit de consulter son coach, son thérapeute, les gens en qui il a confiance et, à son rythme, *se faire à l'idée*.

Il se peut que le processus soit laborieux, mais une fois dépassé, sa vie reprendra son cours. Il pourra retrouver des activités de coaching dans son sport et ainsi venir en aide à des novices qui ont besoin de ses sages conseils. Il peut être aussi enclin à faire complètement autre chose de sa vie. C'est un deuil comme les autres dans le sens où il aura à passer à travers toutes les phases du deuil, quoique certaines seront très rapides.

Contrairement aux autres deuils, la proportion de temps passée dans la phase du choc et du déni sera élevée.

Il se peut que le sportif prenne du temps à se rendre à l'évidence qu'il s'est blessé plus gravement qu'il ne le pensait ou que sa carrière est terminée. Il devra solliciter toutes ses ressources pour garder espoir jusqu'à la fin ou pour accepter que l'arrêt du sport est une évidence. Il peut même avoir de la difficulté à croire le médecin qui lui dit qu'il ne pourra plus faire de compétition de haut niveau dans sa discipline. Plusieurs mois peuvent s'écouler avant que l'athlète réalise vraiment ce qui lui est arrivé.

HANDICAP

Il existe un handicap de naissance ou un handicap provenant des suites d'un accident.

En ce qui a trait aux gens qui ont un handicap de naissance, le deuil n'est pas moins important quoique très différent de celui qui survient de façon inopinée. Ceux qui ne connaissent pas autre chose étant donné qu'ils sont nés ainsi, n'ont pas à faire le deuil du handicap, mais plutôt celui de ne pas ressembler à la majorité des gens. Il est préférable de ne pas laisser ces personnes s'isoler et vivre une vie solitaire et exclue de la société, une vie d'ermite.

Pour ce qui est de ceux qui subissent un handicap à la suite d'un accident comme, par exemple, passer le reste de leur vie en fauteuil roulant, la perte d'un membre ou encore la perte d'un sens, il est très difficile de s'adapter à une telle situation survenue subitement, et cela, sans qu'il n'y ait eu une quelconque préparation.

Dans tous ces cas, une vie doit être totalement réorganisée. L'évidence doit être acceptée à l'effet que rien ne sera plus jamais comme avant. Ces gens se doivent de rester forts et d'être bien entourés. Habituellement, nous vivons des deuils en rapport avec des éléments extérieurs, mais dans ce cas-ci, on parle d'un deuil en lien direct avec soi-même.

RUPTURE AMOUREUSE

Une peine d'amour est un deuil très douloureux. Ce qui est particulier dans une rupture amoureuse c'est qu'elle ressemble au deuil à vivre à la suite de la mort d'une personne chère. Qu'on perde une personne parce qu'elle est décédée ou parce qu'elle nous quitte, c'est tout de même une perte et il est très important de *se faire à l'idée*.

Le plus difficile lorsque quelqu'un nous quitte, c'est de pouvoir encore le voir, lui parler, donc l'espoir reste vivant. Ce faux espoir ralentit le processus d'un deuil considérablement. C'est tout comme penser qu'un mort ressuscitera! Il s'agit alors d'une forme de déni.

à l'idée. La seule manière de continuer d'avancer est de *se faire*

Il est faux de penser que vous ne pourrez plus jamais aimer ni faire confiance à une autre personne. Il est faux de dire que vous ne trouverez jamais mieux. Il est faux aussi de dire que c'était l'amour de votre vie puisque cette personne n'est plus présente! La vie vous réserve encore de belles surprises et vous préparer à les accueillir vous permettra de les recevoir et les apprécier.

RUPTURE FILIALE (FRÈRE/SOEUR) OU AMICALE

Les membres d'une famille naissent d'un même père et mère, à part certains cas particuliers, bien entendu. Dans la plupart des familles, les enfants s'entendent relativement bien entre eux.

Il survient parfois que certaines animosités, incompatibilité de caractère, jalousie, envie, s'installent au fil des ans dans le portrait de famille, ce qui lézarde sa fragilité. Il est fréquent que deux enfants d'une famille n'arrivent pas à s'entendre. Parfois, les raisons sont pertinentes, parfois anodines.

Certaines personnes se querellent à propos de peccadilles ou revendiquent certains droits. Toutes ces bêtises divisent les membres de la famille et, trop souvent, ces querelles durent toute une vie.

Pour ne pas être importuné par ce dilemme durant des années et après avoir engendré toutes sortes d'occasions de rapprochement, si vos tentatives se sont avérées nulles, passez à autre chose, lâchez prise.

La notion de pardon reste toujours la meilleure option pour guérir notre cœur blessé et continuer notre route sachant que nous avons fait notre part pour résoudre la situation problématique.

La rupture amicale est un peu différente sur le plan physique, mais similaire sur le plan émotif. Nos amis entrent dans notre vie à un moment et peuvent en ressortir rapidement ou vingt ou quarante ans plus tard.

Une rupture amicale représente un deuil parce que nous en venons à aimer nos amis, parfois plus que certains membres de notre famille. Certains disent même que leur famille, c'est leurs amis.

Notre vie est une route sur laquelle il y a des embranchements, des Y, des T et des culs de sac! Vous ne pouvez pas savoir d'avance la route que votre ami prendra. Ce sera peut-être la même durant longtemps et, un jour, vos chemins se séparent.

Voyez ces amis précieux comme des cadeaux le temps qu'ils sont dans votre vie et lorsqu'ils la quittent, pour quelque raison que ce soit, acceptez de recevoir de nouveaux cadeaux, c'est-à-dire de nouveaux amis.

ABUS SEXUELS

Il n'est pas rare que le deuil d'un abus d'ordre sexuel se fasse à l'âge adulte, même s'il s'est produit durant l'enfance. Ce phénomène s'explique par le fait que nous ne sommes pas conscients en bas âge de façon précise de ce qu'est un abus.

L'abus ne définit pas qui vous êtes. Vous diriger vers l'acceptation est essentiel, comme dans tous les deuils. Oui, mais accepter quoi? Bien sûr, le comportement de l'abuseur est inacceptable.

L'objectif est plutôt d'arriver à accepter que cette tragédie fait partie du passé et que vous ne pouvez rien y changer. Vous pouvez, par contre, changer le présent et l'avenir à cet égard.

Il y a un processus de pardon important à faire pour récupérer le plein pouvoir sur votre vie. Vous pardonner vous-même, soit de vous être mis en danger, soit d'avoir ressenti un certain plaisir, soit d'avoir laissé les abus se répéter plusieurs fois avant de prendre action pour qu'ils cessent ou de n'avoir jamais dénoncé l'abuseur ou autre chose.

Prendre le temps de suivre ce processus vous aidera à reprendre le pouvoir sur votre vie, sur votre corps.

MALADIE

Il y a le deuil relatif à la maladie lorsqu'un être aimé en est atteint et il y a celui de la maladie qui nous afflige personnellement.

Le deuil d'une personne mourante n'est pas facilité parce que vous saviez d'avance que la personne allait mourir à courte échéance. Vous constatez les effets de la maladie sur elle et vous savez qu'elle va mourir; vous la voyez changer rapidement autant physiquement que moralement. Vous tenez à l'accompagner jusqu'à la fin, partager avec elle le temps qu'il lui reste.

Vous commencez ainsi votre deuil bien avant que la personne décède. Cette étape s'appelle *deuil anticipatoire.*

On me demande souvent : est-ce que je peux commencer à faire mon deuil même si la personne n'est pas décédée? Oui, bien sûr!

C'est même une très bonne chose de commencer votre cheminement avant le décès. Se préparer à ce départ n'est pas en soi une chose négative, pessimiste ou morbide. Cette préparation vous permettra simplement de commencer le processus du deuil afin de ne pas rester coincé dans un état mental, émotionnel et physique de morbidité.

Être soi-même malade représente plusieurs deuils à la fois. Il est difficile de se voir changer, de se rendre compte que notre corps ne répond plus comme avant, ou même de se voir dépérir tranquillement.

C'est d'ailleurs la raison pour laquelle tant de gens abandonnent la bataille et se laissent mourir en silence. Certains autres souffrent tellement qu'ils prient pour mourir le plus vite possible. Cet état est très fréquent chez les personnes âgées.

OPÉRATION

Que vous ressortiez d'une opération avec une cicatrice ou carrément avec un organe ou un membre en moins, vous devez vous adapter à votre nouveau corps, renoncer à l'ancien qui, pourtant, jusque là vous convenait.

Combien de temps prendrez-vous avant de vous aimer et vous accepter à nouveau tel que vous êtes devenu?

Si vous lisez ces quelques lignes en ce moment, que vous n'êtes pas malade, que votre corps est complet et en santé et que vous n'ayez subi aucune opération dans votre vie... il est fortement souhaitable de vous aimer!

FAUSSE COUCHE, MORT-NÉ OU DÉCÈS D'UN ENFANT

Perdre un enfant, est, selon moi, le deuil le plus inhumain et bouleversant que la famille proche et l'entourage peuvent vivre.

Comme tous les autres deuils, nous devons l'affronter courageusement. Que ce soit une fausse couche, un enfant mort-né, un enfant qui trépasse à trois mois, cinq ans, dix, vingt, trente-neuf ou soixante ans, j'admire la force et le prodigieux courage des parents qui doivent traverser une étape aussi cruelle. Il n'est pas dans l'ordre des choses d'amener notre enfant à son repos éternel.

Injustice, culpabilité, haine... trois mots lourds de sens lesquels, mis ensemble, incitent les survivants à être courageux, résilients et patients.

La douleur intense mène souvent les parents à vivre leur deuil plutôt individuellement, en retrait. Il ne faut pas être dupe du fait qu'un tel gouffre émotionnel peut les aspirer et tenter de les anéantir. Pourtant, s'ils s'unissaient à d'autres personnes, cela accélèrerait leur processus de guérison.

SUICIDE OU ACCIDENT

Ce type de deuil soudain occasionne certains traumatismes. Le cerveau comprend mal, ne veut pas composer avec une déduction telle qu'il soit possible d'arriver *à se faire à l'idée* de ce coup de théâtre de la vie.

L'annonce d'une nouvelle aussi abrutissante nous expédie au plus profond de la définition pure et simple de ce qu'est un choc émotif.

Cette affliction nous mène en dehors de la réalité, dans un état d'inconcevabilité où l'impuissance est totale. De nombreuses questions nous hantent jour et nuit à savoir si la personne a souffert.

Nous nous désolons du fait que nous n'avons pas eu le temps de se dire adieu et, dans le cas d'un suicide, nous nous demandons pour quelle raison la personne n'a pas laissé de mot afin de nous déculpabiliser.

Ce processus nécessite d'accorder une grande place au pardon.

Le pardon dans sa globalité : pardonner à la vie, à la personne même, aux autres, à soi-même, à la société, tout! Pardonner prend tout son sens lors d'une telle circonstance. Le pardon en lui-même est source d'apaisement et procure l'état d'esprit mental et émotionnel nécessaire pour mettre tous les éléments en perspective.

« Ceux à qui nous ne pardonnons pas contrôlent notre vie.
Pardonner n'est pas endosser.
Le pardon brise les chaines de notre prison intérieure et apporte une liberté et une paix profondes. »

- Robert Savoie

IL Y A BEAUCOUP D'AUTRES DEUILS

Perdre une grosse somme d'argent, une maison, un bijou précieux, se faire voler, un accident, un feu, vieillir, et combien d'autres encore!

Une perte est une perte. Aucune n'est préférable à une autre. Il n'y a pas d'échelle non plus permettant de définir le degré de souffrance. Seule la personne qui la vit connait la profondeur de sa douleur.

DEUILS MULTIPLES

Vivre plusieurs deuils à la fois, lorsque plusieurs décès ou pertes se produisent en même temps, peut rendre le processus du deuil beaucoup plus lourd et difficile. Nous avons l'impression d'être incapable d'entrevoir un possible rétablissement. Il est possible d'avoir tendance à se laisser couler à pic dans la *dépression du deuil*.

Mon meilleur conseil ici est de ne pas vous isoler et, surtout, de vous faire aider, car il y a une lumière au bout du tunnel. Vous ne le croyez pas, mais je vous l'assure. Je sais que vous croyez que votre cerveau semble avoir une limite, mais je peux vous confirmer qu'il est possible de se relever de tout, même de l'inacceptable, de l'injustifiable et du non qualifiable!

Il existe des gens sur terre qui ont vécu l'innommable et l'incroyable et qui, pourtant, ont pu se relever et devenir des êtres humains absolument exceptionnels. Nous n'avons qu'à penser au chanteur-auteur-compositeur et interprète populaire Corneille.

Il est né en Allemagne où ses parents complétaient leurs études. À l'âge de dix-sept ans lors du génocide rwandais, un groupe armé est entré dans la maison familiale et a tué toute sa famille.

Corneille a assisté au massacre auquel il a survécu, s'étant caché derrière un canapé. Il s'est enfui par la suite au Zaïre, à des jours de marche où il a trouvé refuge chez un couple allemand, ami de ses parents.

Comment survivre à la suite d'un tel drame? Il a pourtant réussi. Son regard limpide et empreint de paix intérieure est une preuve indéniable qu'il existe au fond de l'être humain des ressources insoupçonnables.

Il ne faut jamais douter des forces des êtres humains.

Plus récemment, en juillet 2013.

Tous ces québécois du Lac Mégantic, en Estrie, qui ont tout perdu à la suite d'un déraillement ferroviaire d'un convoi à la dérive de 72 wagons citernes contenant du pétrole brut léger qui a provoqué des explosions multiples et un incendie majeur qui a tout détruit sur son passage : le centre-ville, une quarantaine d'édifices constituée de maisons, voitures, église, commerces, enfin tout ce qui a flambé dans ce drame épouvantable où, pire encore, quarante-sept vies ont été enlevées d'un seul coup!

Que dire de la résilience de tous les survivants, certains ayant perdu plusieurs membres de leur famille, des amis, et toutes leurs possessions matérielles?

Ma mission, à travers ma pratique professionnelle, mes conférences et ce livre, est d'amener les gens à comprendre que l'on peut se relever de nos épreuves, même les plus grandes et aussi lorsque nous croyons ne pas en avoir la force!

« Nulle pierre ne peut être polie sans friction, nul homme ne peut parfaire son expérience sans épreuves. »

- Confucius

Chapitre

QUATRE

LES DIFFÉRENTES PHASES DU DEUIL

« La mort est un destin que nous partageons tous. »

- Steve Jobs

Certains disent qu'il y a trois phases au deuil, d'autres sept et d'autres douze!

Une seule chose est certaine, c'est qu'il y en a effectivement plusieurs. Certaines phases se vivent fortement et d'autres plus subtilement. Certaines se chevauchent, d'autres passent rapidement et d'autres sont présentes presque chaque jour. Il est donc possible que vous ayez de la difficulté à les identifier.

Dans ce livre, je ne mets pas le deuil dans un moule. L'important n'est pas de savoir exactement combien de phases une personne en deuil aura à vivre, mais plutôt d'être conscient de tout ce que vous aurez à vivre. Le deuil est un processus de guérison, de cicatrisation. Ce n'est pas une division par étape, une après l'autre, une de complétée et on passe à la suivante. Soyez ouvert, accueillant et conciliant envers vous-même et votre deuil.

Bien que nous aurons tous à vivre des deuils, il est certain que nous les vivrons tous de façon différente. Certaines personnes passent plus de temps dans une étape, tandis que d'autres, dans une autre. Cette différence s'explique par notre passé, nos expériences personnelles et nos deuils antécédents.

La société et nos proches nous imposent une énorme pression afin de surmonter la perte le plus vite possible. Ne vous sentez pas jugé et ne vous jugez pas vous-même non plus! Apprenez à connaitre et à respecter votre rythme.

Certains individus croient qu'ils n'ont jamais vécu de deuil. En réalité, c'est soit qu'ils ne savent pas que toute perte est un deuil, car il faut considérer qu'il n'y a pas que la mort qui en soit un, ou qu'ils sont dans le déni, ou qu'ils souffrent trop pour s'ouvrir au processus du deuil. La véritable force est d'évoluer, c'est-à-dire de toujours avancer, même si c'est à une vitesse de tortue. Un tout petit pas est considéré comme une progression. L'émotivité et la connexion avec son être intérieur ne sont pas des faiblesses, bien au contraire. Cette connexion est une bénédiction en soi.

Il est possible que vous pensiez ne pas avoir vécu une des phases du deuil. Ce n'est que plus tard que nous nous rendons compte que nous l'avons effectivement traversée. Il n'est pas facile de se positionner exactement dans le deuil lorsque nous le vivons pleinement. Une personne de votre entourage qui vous connait bien peut vous aider à vous positionner.

Comme chaque personne vit ses deuils à sa manière, il est possible que vous ne vous identifiez pas à certains propos de mon livre. Par contre, les connaitre vous permettront d'aider quelqu'un d'autre en cas de besoin.

Si vous êtes en deuil depuis peu, vous n'êtes probablement pas rendu très loin dans votre cheminement. Rassurez-vous, il est très bon de lire à ce sujet avant, pendant et après. Vous comprendrez les divers éléments d'un deuil, même si vous n'êtes pas encore rendu à l'étape en question. Lire et savoir ne peut que vous aider et il est fort probable que vos connaissances vous aideront à ne pas éterniser votre souffrance.

J'aimerais défaire une fausse croyance qu'ont plusieurs personnes qui est celle de croire que plus nous avons accumulé de deuils dans notre passé, plus il sera facile de vivre les prochains.

Non seulement nous ne sommes jamais dans le même état psychologique d'un deuil à l'autre, mais en plus, chacune des causes de nos deuils sont différentes.

En fait, si nous ne gérons pas nos deuils au niveau émotif et que nous ne faisons que laisser le temps filer, nos deuils seront chaque fois de pire en pire, de plus en plus difficiles à vivre parce qu'un nouveau deuil réactive tous les précédents. Apprendre à vivre le deuil est un des grands apprentissages de la vie.

Une autre fausse croyance est qu'un deuil a une fin. Nous croyons qu'un deuil est terminé lorsque nous sommes dans la phase de l'acceptation, mais en réalité, nous restons dans cette phase le reste de notre vie, elle devient une partie intégrante de qui nous sommes.

Vos deuils peuvent s'accepter plus rapidement, mais seulement si vous les gérez et les comprenez. Malgré tout, vous vivrez toutes les phases. Elles seront vécues de façon différente d'une fois à l'autre.

Il est aussi possible que se chevauchent deux ou même plusieurs phases. Il est également possible d'avoir l'impression de toutes les vivre en même temps. Certains feront un retour en arrière pour ensuite continuer à avancer. Oui, une régression, mais une positive cette fois, puisque s'il doit y avoir un retour en arrière, c'est parce qu'il y avait quelque chose qui n'était pas réglé dans la phase précédente. Cette phase se trouve très souvent être celle de la colère. Sortir de cet état d'esprit est très exigeant.

N'attendez pas avant de commencer votre introspection au sujet du deuil, cette dernière étant nécessaire pour retrouver votre sérénité et votre joie de vivre le plus rapidement possible. Le but est de vivre chacune de ces phases le plus sainement possible. Avancez sur ce chemin en apprenant à mieux gérer vos pensées et vos angoisses. Pour traverser un deuil, il faut d'abord comprendre ce que nous vivons. Ce processus requiert du temps, de la réflexion et beaucoup d'énergie.

Gardez en tête que les étapes du deuil vous permettent de faire une quête intérieure. Vous vous découvrez et, en tant que tel, c'est l'un des petits miracles de la vie. Allons-y!

*« Il n'y a point de bonheur sans courage
ni de vertu sans combat. »*

- Jean-Jacques Rousseau

Chapitre

CINQ

LE CHOC

*« Toute sa vie,
on passe son temps à dire adieu à ceux qui partent,
jusqu'au jour où on dit adieu à ceux qui restent. »*

- Anonyme

Le choc est une phase généralement courte. C'est une réaction immédiate au coup que nous venons de recevoir, autant physique, mentale qu'émotionnelle, car c'est notre être tout entier qui est attaqué. C'est comme un engourdissement intérieur ou une paralysie, tout se fige et semble irréel. Tout bascule. C'est l'incompréhension la plus totale. Le sentiment d'être entre deux mondes.

En fait, c'est un mécanisme psychologique qui nous protège. Sa principale fonction est de nous permettre de ne pas ressentir notre douleur. Malheureusement, dans le cas d'un décès soudain, tragique ou accidentel, cette phase peut durer plusieurs jours, quelques semaines et même, parfois, des mois.

Contrairement à ce que l'on peut penser, l'étape du choc survient même dans le cas d'un décès prévu, comme à la suite d'une maladie, ou même à la mort d'une personne âgée. Il est inévitable de vivre un sentiment d'irréalité.

Après tout, il n'est pas facile de *se faire à l'idée* que nous ne verrons plus jamais une personne que nous aimons. Le cerveau lutte contre cette idée.

J'entends souvent dans mon cabinet : « Pourtant, mourir, c'est ce que la personne souhaitait. C'est une libération pour tout le monde, alors pourquoi est-ce que je réagis de cette façon? » Même une mortalité attendue ou souhaitée déstabilise, bouleverse et trouble profondément les survivants.

LA SUITE DE MON HISTOIRE PERSONNELLE

Je vous raconte maintenant la suite de mon histoire personnelle commencée au cours du premier chapitre à propos de la mort violente et fortuite de mon père.

Comme il est décédé d'un accident de la route à trente-neuf ans, ma phase du choc a été très intense.

J'ai vécu en premier le choc psychologique, mais aussi un choc physique assommant. Dès l'annonce du décès de mon père, mon corps a réagi très fortement en déclenchant une amygdalite en plus d'une mononucléose. J'ai été très malade et j'ai perdu dix livres en cinq jours, moi qui étais déjà menue.

À la suite du moment passé dans le bureau de ma gérante, je suis sortie de l'épicerie avec l'amie de ma mère. J'étais tellement sous le choc que j'ai récupéré mes clés de voiture dans mon sac à main pensant conduire jusque chez moi. Heureusement, l'amie de ma mère m'a ramenée assez vite à la réalité. J'avais l'impression de ne plus vivre dans mon corps.

C'était la première fois de ma vie que j'explorais le mode de survie, c'est-à-dire que je ne prenais plus aucune décision, j'essayais de ne plus réfléchir, je me sentais comme un robot, c'était comme si j'avais le cerveau gelé et, étrangement, cet état me convenait.

À peine une heure après avoir reçu la pire nouvelle de toute ma vie, je me suis retrouvée dans la maison de mon père où étaient déjà réunis beaucoup trop de gens! Des amis et de la famille.

Tout ce que je voyais c'étaient des regards fixés sur moi qui disaient : pauvre petite fille! Je me sentais spectatrice d'un film monotone. C'était comme si je faisais un mauvais rêve duquel je n'arrivais pas à m'extraire. Je me demandais pour quelles raisons toutes ces personnes étaient présentes, mais ma question a vite trouvé une réponse lorsqu'un membre de la famille a pris la parole :

« Même si c'est difficile, certaines décisions doivent être prises immédiatement. Enterré ou incinéré? »

Quoi? Comme ça? Vraiment? Maintenant? Là là.!!!!!!!! Ouf! ma tête était tellement étourdie, j'abandonnais... j'allais répondre aux questions, dire n'importe quoi, parce que de toute manière, même si j'avais trois jours pour y penser, je ne saurais toujours pas quoi répondre.

« D'accord, enterré. Où? Quelle date? À quelle heure? »

Oui, oui, d'accord! Est-ce que je peux mourir moi aussi maintenant? Enterrez-moi le même jour, ce sera moins compliqué! Ce sera un deux pour un. J'étais encore vivante, mais pourquoi? Pourquoi est-ce que je ne me sentais plus vivante? C'était comme si une partie de moi venait de mourir à tout jamais.

La seule personne à qui je voulais parler à ce moment-là, c'était à mon père! Il était le seul qui aurait pu vraiment me réconforter. C'était invivable dans ma tête. À toutes les cinq minutes, je réalisais de nouveau qu'il était mort, MORT, M.O.R.T...., mais pourquoi est-ce qu'une telle chose m'arrivait à moi?

La journée ne faisait que commencer! Nous nous sommes entassés dans une camionnette en direction de Montréal pour nous rendre sur le site où travaillait mon père. Nous sommes allés chercher ses effets personnels. Pourquoi aujourd'hui? Le monde des adultes était-il à ce point insensible?

Presque arrivés à destination, nous sommes passés à l'endroit exact de l'accident qui lui a ravi sa vie. Nous avons vu des traces sur le pavé, quelques débris et des taches de sang qui avaient été nettoyées rapidement.

Je détestais comment je me sentais, ce sentiment ne se nommait même pas tellement c'était abrutissant. Mon père était passé ici, et ensuite moi, mais lui, il avait eu moins de chance. Pouvais-je parler de chance? Il fallait que j'arrête de réfléchir.

Rendus sur place, nous avons attendu de longues minutes dans la camionnette pendant qu'un de mes oncles allait à l'intérieur chercher ses effets personnels. Je me demandais pourquoi on devait faire cette récupération si vite, ça me semblait tellement illogique. Je n'avais pas l'énergie de poser la question et je sentais que personne n'aurait eu de réponse satisfaisante.

Durant l'attente, une chanson a joué à la radio : *It's just a bad day.* Non, ce n'était pas seulement une mauvaise journée, parce que ce sera une mauvaise journée chaque jour du reste de ma vie! J'essayais de me convaincre que ce jour-là particulièrement serait sans doute le pire, mais je ne savais pas encore si je pouvais me croire.

Nous avons repris la route, mais cette fois vers la fourrière. Hé oui! Nous avions une autre décision à prendre : allions-nous garder la moto ou l'envoyer à la fourrière municipale? N'aurions-nous pas pu attendre un autre moment pour décider quoi en faire? Non. D'accord. Je me suis dit que s'il fallait le faire, aussi bien le faire tout de suite. De toute manière, aucune de ces décisions ridicules nous le ramènerait!

Qu'ai-je vu à la fourrière? Non mais, ce tas de ferraille ne pouvait pas avoir été une moto! C'était un ramassis de métal fripé. Même la clé était coincée au milieu de tout ce ravage. Pour quelle raison nous déplacer si quelqu'un savait déjà de quoi avait l'air la moto? Pourquoi ne pas nous avoir dit de rester chez nous au lieu de nous faire vivre ce moment traumatisant totalement aberrant?

Si la moto était dans cet état lamentable, dans quel état alors se trouvait le corps de mon père? Que s'était-il passé précisément? On aurait dit que toutes les voitures du centre-ville de Montréal avaient roulé sur la motocyclette. En plus, il fallait payer! Je ne suis pas certaine que j'aimais le monde des adultes, notre société. Même la mort, il fallait la payer!

Nous avons repris la route, cette fois-ci en direction du salon funéraire. Nous avons été accueillis par le propriétaire qui, entre autres choses, nous a dit :

« Désirez-vous voir le corps du défunt? »

Wow! Les mots en lien avec la mort sont vraiment tous laids... défunt, décédé, cercueil, incinération, endeuillé... ark! ark! ark!

Oui, bien sûr que je voulais voir le corps de mon père. À l'intérieur de moi, j'étais excitée de le revoir comme si je ne l'avais pas vu depuis un an, comme s'il était toujours vivant.

Ça y est, je le vois. Émue, ébranlée, je lui disais en pensée : « Ah papa! Ouvre tes yeux, respire, regarde-moi, je suis là, c'est moi Valérie, tout va bien, je te ramène, allez! Raconte-moi ta péripétie, comment te sens-tu? Oh! mon Dieu, ton crâne... ton crâne est défoncé, il y a du sang dans tes oreilles, dans ton nez, dans ta bouche entrouverte. Ta paupière légèrement ouverte me permet de reconnaitre un de tes yeux. Je ne sais pas pourquoi, mais ça me rend heureuse. Comme si tu pouvais me voir une dernière fois, toi aussi. Tes côtes sont renfoncées d'un côté. Je peux même apercevoir au fond du sac épais et opaque qui recouvre la partie inférieure de ton corps qu'il te manque ta jambe gauche. Quelle horreur! Tu es assurément mieux mort! Je commence même à te trouver chanceux. »

À ce moment, une image que je n'oublierai jamais m'a sauté aux yeux. Les mains de mon père étaient disposées de manière à ce qu'on ne puisse pas remarquer que l'une d'elles était entièrement brulée à l'intérieur et que l'autre était presque entièrement arrachée. Les os sortaient de partout, tout était déplacé et à vif. Il me semblait évident que ses mains avaient frotté le sol.

Je me sentais tellement désolée de constater qu'il avait tant souffert. « Je suis désolée que tu aies eu à vivre ce drame tout seul. Quelle est la dernière chose à laquelle tu as pensé? Trouve un moyen de me répondre, c'est important. Je suis reconnaissante de pouvoir te voir une dernière fois, mais j'en veux davantage, je veux te parler une dernière fois. »

Tout ce temps, je touchais à l'épaule musclée de mon père. Je le trouvais étonnamment beau. Il était encore bronzé, je reconnaissais chacune des particularités de sa physionomie. Même si ces propos semblent étranges, cette visite a été le plus beau moment de ma journée.

En levant les yeux, j'ai aperçu une dame qui travaillait à cet endroit. Elle nous a souligné que c'était elle qui embaumerait son corps, sa profession étant thanatologue. Elle n'avait pas plus de vingt-cinq ans. Elle était émue. Elle nous a dit que mon père avait l'air d'avoir été un homme aimé. Comment faisait-elle pour être témoin d'autant de souffrance sans changer de travail? Tout un emploi! Non, mais c'était horrible, elle aurait dû sortir de la pièce pour ne pas voir toutes ces personnes brisées par le chagrin.

Au fond de mon cœur, je ne la jugeais pas, je la trouvais même très courageuse et généreuse.

Ma mère m'avait dit, un peu plus tôt dans la journée, que je devais absolument voir mon père pour ne jamais douter qu'il soit vraiment décédé. C'était très sensé. Je ne le savais pas encore, mais une chance que je l'ai fait. J'ai eu cette chance que d'autres n'ont pas, comme tous ces gens qui sont disparus d'une manière ou d'une autre. C'est difficile de croire à la mort lorsqu'on ne l'a pas vue.

En sortant de cette pièce froide où mon père était confiné, je croyais pouvoir sortir enfin de ce salon mortuaire. Je n'aimais pas l'odeur, le silence, les congélateurs, toutes ces salles vides et, par-dessus tout, le fait qu'un homme fasse de l'argent avec des gens malheureux. Je savais bien que quelqu'un devait s'occuper de ces endroits. Mais pour quelle raison est-ce que ça coutait aussi cher? Que font les gens qui n'ont pas d'argent. Enterrent-ils leurs morts dans leur jardin?

Malheureusement, il restait encore des décisions à prendre. Nous sommes dirigés dans l'un des bureaux. L'homme n'arrêtait pas de sourire; pas besoin de dire qu'il me tapait sur les nerfs. Il nous a demandé si nous voulions l'enterrer ou l'incinérer.

D'une manière ou d'une autre, nous devions choisir de quelle façon disposer de son corps. Nous sommes ensuite allés dans une salle où il y avait plusieurs cercueils. Non seulement c'était intimidant, mais en plus, ils étaient tous aussi laids les uns que les autres.

Une fois le cercueil choisi, nous sommes tous retournés dans le même bureau. Il fallait sélectionner le signet approprié pour que la famille et les amis conservent un dernier souvenir. Il fallait aussi choisir la dédicace qui serait écrite sur le signet et la quantité. Nous devions aussi fournir une photo à exposer sur le cercueil. C'était tellement irréel d'avoir à faire tous ces choix.

Nous sommes allés chez mes grands-parents, car ils habitaient tout près du salon funéraire. Chaque fois que j'anticipais la fin des mauvaises expériences, il en survenait une nouvelle. Nous avons reçu et ouvert le grand sac jaune qui nous avait été remis par la police. Il contenait les effets personnels que mon père avait sur lui lors de l'accident mortel qui nous l'avait enlevé.

En sortant le casque de moto du sac, j'ai mieux compris pourquoi le crâne de mon père était aussi croche. Le casque avait exactement la même forme. J'ai vu des traces de vomissure et de sang un peu partout dans le casque.

Pourquoi la police nous remettait-elle de tels rappels des souffrances qu'il a dû endurer? J'ai ensuite sorti ses bottes qui étaient presque entièrement déchiquetées et son sac à dos, qui était mon sac d'école que je lui prêtais pour l'été; il était en bien piteux état. J'ai trouvé ensuite ses verres solaires devenus inutilisables, son portable défoncé, ses clés et son portefeuille.

À l'intérieur, il y avait un papier sur lequel était écrit : OVER JEUDI... la veille! J'avais le cœur coincé dans un étau à la pensée qu'il était mort en revenant de travailler de nuit, alors qu'il devait être en congé ce jour-là! Non, mais quelle aberration!

Il y avait aussi un billet de vingt dollars auquel j'ai toujours tenu; j'ai encore ce souvenir aujourd'hui. Après toutes ces émotions, je voulais aller me coucher, je ne me sentais pas bien du tout; je n'avais plus aucune énergie, j'avais mal à la gorge, j'avais le cœur serré, il nageait dans le chagrin.

Quelqu'un a sonné à la porte! La compagnie où mon père travaillait avait pris le soin de nous envoyer une psychologue à domicile. Quelle erreur! En tant normal, cette intervention aurait peut-être été positive, mais il y avait beaucoup trop de membres de la famille présents.

Certains voulaient parler, la plupart n'étaient pas prêts. Elle insistait, c'était prématuré! On ne sait même pas quoi dire. La psychologue me regardait dans les yeux et m'a demandé : « As-tu de la peine? » J'ai failli lui répondre avec insolence : « D'après toi! » Heureusement cette rencontre a été brève et j'ai pu aller me coucher, épuisée et très malade.

Un peu plus tard, ma mère a reçu un appel téléphonique qui l'a fait éclater en larmes. J'essayais de la questionner, mais elle ne me répondait pas, comme si je n'existais pas. Elle a enfin raccroché et nous a dit qu'elle savait maintenant ce qui s'était réellement passé. Elle était en mesure de nous expliquer l'accident avec un peu plus de détails.

À deux coins de rue de son travail, où il était technicien en laboratoire, mon père roulait derrière un camion semi-remorque rempli de gaz d'une compagnie connue. Il était à environ cinquante mètres d'une bretelle pour se rendre à l'autoroute et, pour ne pas rester derrière le camion, il a décidé de rouler dans la voie de gauche et d'accélérer pour prendre la bretelle avant le camion.

Il a effectué la manœuvre sans problème jusqu'à ce que le conducteur d'une petite voiture rouge qui roulait devant le camion décide de se tasser dans la voie de gauche et couper mon père. La moto s'est enfoncée dans le coffre arrière de la voiture un peu en angle, mon père ayant eu le réflexe de passer entre la voiture et le camion. Son corps a été propulsé vers l'avant.

Cependant, comme ça s'est passé très rapidement, sa jambe gauche est restée prise dans le guidon, c'est ce qui l'a sectionnée en plein milieu de la cuisse. Le reste de son corps a poursuivi sa trajectoire jusque dans la voie de droite. Son crâne s'est retrouvé alors sous les roues du camion, ce qui expliquait la forme que j'avais remarquée. Il a été trainé sur plusieurs mètres.

Cet accident a été d'une violence inouïe. Il était difficile de savoir à quel moment exactement il a émis son dernier souffle, ni à quoi il a pensé au dernier moment. Il était probablement très fatigué. J'espérais ardemment qu'il ne se soit pas rendu compte de ce qui s'était produit et qu'il n'a pas souffert.

Le lendemain, en me levant, j'ai commencé ma journée très douloureusement. J'ai ouvert le journal et j'ai vu une photo et un article décrivant l'accident dans lequel il avait été impliqué.

Dans ma tête, les images étaient déjà horribles, mais celles du journal m'ont scié les deux jambes. Il y avait une grande toile blanche sous laquelle se trouvait son corps fraichement mort. Malgré mon ébranlement, j'ai découpé l'article et l'ai placé parmi les autres objets que je voulais conserver précieusement. Je me suis accrochée à tout ce que je trouvais. Tout me le rappelait.

Un ami est venu à la maison et m'a remis une copie d'une revue de golf dans laquelle il y avait deux pages qui parlaient de moi. L'article mentionnait mes années de sport-études, mes compétitions et mes objectifs à court, moyen et long terme. Mon père était très fier de moi et il avait hâte de lire cet article. Il n'en aura pas eu l'occasion. Sur la couverture, il y avait l'image d'un homme qui avait, dans le même élan, un mouvement de golf, de baseball et de hockey, trois sports qu'il affectionnait.

Je savais quoi mettre dans le cercueil maintenant. J'ai mis un exemplaire de la revue, un bâton de golf que je lui avais donné, une balle avec un tee, un bâton de baseball avec une balle, une rondelle de hockey et une photo qu'il aimait de moi.

Les autres membres de la famille désiraient aussi ajouter des choses dans le cercueil, à un tel point que le propriétaire de la maison funéraire nous a demandé de ne pas trop en mettre parce qu'il manquerait de place! Nous voulions nous assurer qu'il aurait tout le nécessaire pour s'amuser au paradis.

J'ai passé le reste de la journée à composer un texte que j'allais lire devant tout le monde à l'église le jour de l'enterrement. Je me sentais impuissante et inutile.

La seule chose que j'avais à dire c'était que je l'aimais. Je ne comprenais plus vraiment ce qui se passait dans ma vie. Tout avait changé. C'était comme si j'étais dans la peau de quelqu'un d'autre. J'avais franchement l'impression que je serais malheureuse le reste de ma vie. Je ne voyais pas comment je pourrais un jour revivre pleinement sachant que j'ai perdu une des personnes que j'aimais le plus au monde.

Le même ami qui m'avait apporté la revue m'a aidée à magasiner des vêtements pour les funérailles. Il était vraiment gentil avec moi et je ne sais pas trop pourquoi parce que j'étais bête comme mes pieds, triste et rien ne me convenait. Il était patient et c'était le meilleur soutien qu'il pouvait m'offrir dans des circonstances aussi dramatiques.

Je désirais trouver une belle grande robe blanche. Il était hors de question que je sois habillée en noir aux funérailles de mon père. Je l'ai trouvée. Elle était belle et chic, elle était parfaite. Comment pouvais-je oser être heureuse d'avoir trouvé une robe à porter lors des funérailles de mon père? Quel paradoxe!

Au cours de la semaine, nous n'avons pas cessé d'annoncer ce décès à tous ceux qui le connaissaient. Chaque fois, c'était comme la première, ça m'atteignait en plein cœur. Nous recevions toutes sortes de choses tel que le rapport du coroner. Ma mère l'a lu, mais elle nous a juré que nous savions déjà tout et que ce n'était pas nécessaire que nous le lisions. Je la croyais. Je ne l'ai jamais lu.

La semaine avançait et, grâce à la médication que je prenais, j'étais de moins en moins malade. Le jour de l'exposition du corps est rapidement arrivé. Il a été enterré le lendemain. Je suis arrivée à la salle, il y avait des fleurs partout et beaucoup de gens qui étaient venus lui rendre un dernier hommage.

J'étais tellement émue de constater à quel point mon père était aimé. C'était un antidote à ma morosité. J'ai reçu beaucoup de bons témoignages à son sujet. Certains pleuraient, certains autres ne pouvaient pas parler. Je me suis demandé comment les choses se passeraient lors de mes propres funérailles. Est-ce qu'il y aurait autant de monde? Autant de fleurs? Autant de photographies? Autant de preuves d'affection? Est-ce que je voudrais être enterrée ou incinérée? Par moment, je délirais!

Les gens s'approchaient du cercueil et fixaient la photo. Ils désiraient manifester leur joie de l'avoir connu et fréquenté, lui adresser un dernier salut et leur respect avant l'inhumation. Étant donné que le corps de mon père était accidenté, le cercueil était fermé. Je n'avais qu'une seule envie, l'ouvrir, le toucher, le regarder encore, l'aimer... Je devais me calmer. Ressentir tout cet amour de l'entourage m'aidait à calmer le flot spasmodique de mes émotions.

J'ai profité de soutien moral parce que j'en avais besoin. En réalité, rien ne me soulageait vraiment. En contrepartie, je savais que je n'avais absolument pas la force de soutenir qui que soit d'autre. Heureusement, il y avait assez de monde pour soutenir chaque membre de ma famille proche.

Durant quelques jours, j'ai été centrée sur ma peine et ma douleur. Ce que je vivais me semblait invraisemblable. Une image m'est soudainement apparue, celle de ma grand-mère, la mère de mon père, debout juste à gauche du cercueil qui, soudainement, est tombée dans les bras de mon grand-père, car ses jambes ne la supportaient plus. J'ai ressenti sa douleur au fond de moi comme un coup d'épée. À partir de cette seconde, je n'ai plus jamais eu autant de peine pour moi que j'en avais pour elle.

Deuxième matin de ce cérémonial funéraire, je me sentais pire que la veille. Ce matin-là, je me levais pour aller enterrer mon père. À quoi bon me lever? J'obéissais, je faisais ce qui devait être fait et je m'en tenais à l'horaire, mais je me sentais étourdie et telle-ment inutile.

La journée a commencé au même endroit que la veille pour vivre les dernières minutes d'une courte période d'exposition. Sur place, j'ai pris un bébé dans mes bras, ce qui m'a plongée dans une réflexion intense par rapport à la vie et la mort; il y avait la mort et il y avait la vie... Difficile de savoir si cette réflexion m'a fait du bien ou du mal ou absolument rien.

Ensuite, nous nous sommes dirigés vers l'église, en limousine. Une des pires choses que j'avais vues dans ma vie sur la route était un corbillard. J'étais maintenant derrière celui de mon père.

Nous sommes arrivés à l'église et juste au moment où l'on sortait le cercueil du corbillard pour l'entrer dans l'église, le carillon s'est mis à sonner. Dans le passé, j'avais toujours adoré le bruit des cloches, mais ce jour-là, il me semblait tellement sinistre, lugubre.

Mon tour est venu de lire mon texte devant toute l'assistance, devant tous ceux qui aimaient mon père. Je me suis levée et j'ai touché au cercueil en passant pour que mon père me donne la force de continuer, car je ne croyais pas pouvoir y arriver seule.

J'ai parlé, mais je n'étais pas du tout présente. Je suis retournée m'assoir et c'est seulement une fois assise que je me suis demandé comment j'avais pu me rendre jusqu'au podium. Je ne m'en souvenais pas, je suis surement sortie de mon corps durant ces quelques minutes. Lorsque la douleur est trop grande, le corps trouve des moyens pour se protéger.

À la suite de l'émouvante cérémonie, nous nous sommes dirigés vers le cimetière. Je me sentais de plus en plus mal.

J'ai eu droit à une autre image d'épouvante qui restera gravée en moi à tout jamais, un autre sentiment qu'aucun mot ne peut expliquer, celle de regarder mon père tranquillement, très tranquillement, descendre dans ce trou béant.

Je ne supportais pas qu'il soit mis sous terre, je ne pouvais pas visualiser cette finalité. J'étais tellement malheureuse, je n'avais envie d'absolument rien. Ou plutôt non, j'avais une seule envie : que tout s'arrête ! Que la terre cesse de tourner, que le soleil ne se lève plus jamais, que les gens arrêtent de parler, et surtout de pleurer. J'aurais tellement voulu aller le rejoindre, lui parler, me faire consoler.

Voilà, on l'a descendu dans ce trou où il restera longtemps et les employés du cimetière exigeaient que nous quittions les lieux avant d'enterrer le cercueil.

Nous avons repris la route vers une petite salle non loin de là où un gouter était servi. Je ne suis jamais arrivée à comprendre comment les gens pouvaient manger après des funérailles. Les images se bousculaient les unes par-dessus les autres dans ma tête.

Je n'ai pas compris non plus comment les gens pouvaient déjà retrouver graduellement leur sourire, leur bonne humeur. Je me disais qu'ils essayaient de me changer les idées, car *je ne m'étais pas encore faite à l'idée.*

Seule à une table, j'ai aperçu mon arrière-grand-mère Marie-Jeanne. Je suis allée la retrouver et je lui ai fait remarquer que je ne l'avais pas vu pleurer, ce qu'elle a confirmé.

Elle m'a confié que depuis plus de cinq ans, elle priait chaque soir pour que le petit Jésus vienne la chercher pour abréger ses souffrances. Elle a ajouté qu'Il a préféré venir chercher mon père. Elle n'en comprenait pas la raison, elle était tellement en colère qu'elle ne pouvait pas pleurer. Elle m'a ensuite promis de Lui régler son compte lorsqu'Il la rappellera à Lui.

Cette femme extraordinaire est décédée deux ans après mon père, libérée alors de toutes ses souffrances.

La phase du choc est assez difficile à gérer. Elle est remplie de petits chocs qui s'accumulent les uns aux autres, c'est ce qui rend difficile après coup le nettoyage de nos émotions. Nos réactions sont inhabituelles. Nous pouvons même nous surprendre nous-mêmes au point de ne pas nous reconnaitre. Les survivants d'un décès vivent la plupart du temps un sentiment d'irréalité. Le plus frappant, c'est que tout le reste autour continue comme à l'habitude. La terre ne cesse pas de tourner.

L'aspect particulier de cette phase, c'est qu'il est impossible de s'y préparer. Pourtant, il est inévitable de vivre l'expérience du deuil au cours de sa vie. Souvenez-vous que cette épreuve nous permet de continuer de vivre, d'exister, de profiter du temps qu'il nous reste pour jouir de la vie, et cela, même si nous avons l'impression d'être une coquille vide.

La calamité nous jette dans un état de désordre, comme lorsqu'un voleur s'introduit fortuitement dans notre maison.

Non seulement, il nous vole, mais en plus, il brise des choses, éparpille le contenu des tiroirs partout, jette tout par terre, n'a aucune peur de briser ou salir, touche à nos effets personnels. Ce fourbi crée tout un choc lors de notre retour à la maison. Personne ne peut avoir un comportement normal à la suite d'un tel saccage.

Il est impossible de continuer sa vie comme si rien ne s'était passé. Notre première réaction est d'abord de subir le choc; nous sommes consternés devant ce crime odieux; à priori, nous téléphonons à la police, répondons à leurs questions, faisons un rapport à la compagnie d'assurance, répondons à leurs questions et, découragés, nous commençons à ramasser, nettoyer et réparer.

En faisant le ménage vous verrez des choses que vous n'aviez pas encore remarquées initialement. C'est comme dans le deuil, nous cheminons et nous découvrons des parties de nous que nous ne connaissions pas, des faiblesses et des forces, des qualités et des défauts.

Nous ne pouvons pas simplement mettre la maison à vendre dans cet état de délabrement. Personne n'a envie de faire le ménage à votre place. Vos amis vous aideront, oui! Le plus important du travail ne peut être effectué par quiconque d'autre que soi-même.

Vivez votre choc... et ensuite prenez-vous en main afin d'être en paix, libre de toute entrave émotionnelle.

« Le commencement est beaucoup plus

que la moitié de l'objectif. »

- Aristote

Chapitre

SIX

LE DÉNI

« Tous les jours vont à la mort,

le dernier y arrive. »

- Montaigne

Le déni est le refus de reconnaître la vérité.

C'est un mécanisme de défense puissant qui permet une pause très brève à notre souffrance. Il arrive rapidement dans le processus, c'est-à-dire au début du deuil, parfois même dès la première journée.

Lorsque les événements sont traumatisants ou inattendus, comme dans le cas d'un accident ou d'une disparition, par exemple, le choc et le déni travaillent ensemble au début pour assurer notre survie mentale et émotionnelle.

Le déni est une résistance naturelle, une protection, une sorte de cadeau. Il nous protège de l'énormité d'une situation et des sentiments que nous ne pouvons pas affronter pour l'instant.

Nous sommes dans l'impossibilité de commencer notre parcours vers l'acceptation, car nous devons d'abord assimiler cette nouvelle information dans notre vie laquelle, pour le moment, n'a aucun sens à nos yeux.

Lorsque je disais à mon cerveau que mon père était mort, il me répondait : « IMPOSSIBLE ! », ce qui me plongeait dans une angoisse étouffante et contraignante. Son décès me semblait tellement irréel que je vivais une guerre interne. Une partie de moi tentait d'assimiler l'information alors que l'autre la refusait totalement.

La semaine qui a suivi son décès a été invivable, et cela, pour plusieurs raisons, entre autres parce que très fréquemment le souvenir de son décès me revenait en tête. C'était comme si mon cerveau l'oubliait quelques minutes pour m'accorder une pause puis, tout à coup, il me revenait en mémoire.

Le déni a comme rôle de nous donner le temps de trouver des forces et des ressources pour assimiler la tragédie qui vient de nous frapper.

C'est pour cette raison qu'il peut survenir lors des jours qui suivent le décès d'une personne proche. Nous attendons encore que la personne revienne à la maison, comme son retour du travail ou de voyage. Il est difficile d'imaginer que la personne ne franchira plus jamais la porte. La phase du déni peut être plus longue si la personne décédée avait, par exemple, l'habitude de partir souvent à l'étranger.

Dans cette phase, nous pouvons avoir tendance à parler beaucoup de la perte, mais de refuser toute l'aide qui nous est proposée.

Nous avons plutôt tendance à dire que nous allons bien. Nous arrivons même parfois à se le faire accroire. Ce qui se passe vraiment, c'est que nous ne sommes pas encore assez forts ni prêts pour affronter toutes les autres émotions qui surviendront par la suite.

Une phase de déni trop longue nuit au deuil. Prenez un temps pour rebondir et ensuite, commencez votre cheminement de façon consciente. Probablement que ça ne vous tente pas... mais ce n'est pas un choix ou une option, si vous désirez vous sentir mieux bientôt.

La forme de déni la plus dommageable est celle de remplacer le défunt par quelqu'un d'autre ou par une dépendance.

Un exemple fréquent de ce comportement est une femme qui fait une fausse couche et qui veut absolument devenir enceinte à nouveau le plus vite possible. La nouvelle grossesse ne fera pas pour autant disparaitre le deuil de l'enfant perdu. Elle créera seulement une illusion et empêchera le bon déroulement du deuil à faire.

Pour bien vivre un deuil, il faut s'y plonger, naviguer à son rythme. Les premières phases n'étant que le début d'une longue route, vivez votre choc, votre déni et lorsque vous êtes prêt, continuez à avancer.

« *Lorsque la vie nous impose un combat,
c'est l'attitude avec laquelle nous y répondons
qui fait toute la différence.* »

Commentaire émis par Céline Dion
à propos de la maladie de son mari René Angélil

Chapitre

SEPT

LA COLÈRE

« La mort ignore la politesse.
Elle ne prend jamais rendez-vous.
Mais elle accepte ceux qu'on lui donne. »

- Yvan Audouard

La colère est causée par l'incompréhension, la déception et l'injustice. L'impossibilité de pouvoir changer quoi que ce soit à la catastrophe qui nous écrase, nous fait perdre les pédales, même étouffer. Elle s'empare de nous lorsque nous réalisons qu'une personne, ou autre chose, est partie de manière permanente donc, qu'elle ne reviendra jamais.

C'est une réaction naturelle et nécessaire. Vous devez vous autoriser à vivre cette colère.

À travers la colère, nous trouvons une façon d'évacuer cette douleur qui vit en soi. Elle signifie en fait un pas de géant sur la voie de la guérison parce qu'elle nous conduit alors à une autre phase. La colère est une étape essentielle et, même si ça vous semble étrange, elle vous aide à vous rapprocher de l'acceptation.

Une autre étape commence alors dans votre vie, ce qu'on peut appeler une *désorganisation*, un désordre au quotidien, une incapacité à maintenir vos habitudes régulières. C'est comme si tout devenait difficile.

Il y a plusieurs formes de colère et aucune limite. Il y a la colère contre soi-même. Parfois, nous croyons avoir de bonnes raisons d'être en colère à notre égard, alors que certaines autres fois, nous ne savons même pas pour quelle raison nous vivons cette rage contre nous.

Il y a aussi la colère envers la personne décédée, cette personne qui n'a pas répondu à nos attentes qui, selon nous, n'a pas respecté les règles du jeu. Nous croyons être victime de trahison, d'abandon. Je me souviens m'être dit que mon père n'avait pas le droit d'abandonner deux enfants mineurs parce qu'il n'avait pas terminé son travail de père.

Il y a également la colère contre la mort elle-même qui est venue nous dérober quelqu'un de précieux.

Il y a la colère plus globale, contre la société, par exemple. Quelques jours après le décès de mon père, j'ai dû déplacer son véhicule qui était encore stationné au même endroit depuis son départ.

C'est en démarrant la voiture que je me suis rendu compte que le réservoir d'essence était presque vide. C'est alors que j'ai compris la raison pour laquelle il n'avait pas utilisé sa voiture pour aller travailler cette nuit-là, ce qui aurait été beaucoup plus logique et prudent que de prendre sa motocyclette. C'est à ce moment précis que je me suis mise à être complètement envahie par la colère à l'égard du gouvernement qui n'a cessé d'augmenter le prix de l'essence (0,89$ le litre à l'époque!)... je vous laisse vous imaginer le travail que j'ai dû faire les années suivantes pour m'en sortir!

Ma colère grandissait de jour en jour au lieu de diminuer, je me suis mise à en vouloir aux puissances mondiales, aux riches, aux pauvres qui ne font rien pour changer la donne, de retour à ma colère contre le gouvernement, mais cette fois pour de nouvelles raisons, le gouvernement qui pourrait s'acharner à faire changer les choses, mais qui ne le fait pas, etc. Tout prenait des proportions démesurées.

Peu importe le type de colère que vous vivez, il est très rare qu'elle soit totalement fondée. Nous avons tendance à exagérer et à être plutôt fermé à d'autres opinions ou à de nouvelles perceptions des choses. C'est une phase qui peut durer longtemps; tout ce temps passé dans la colère est à la fois utile et inutile. Utile étant donné qu'elle nous aide à évacuer notre souffrance et inutile parce qu'elle nous garde la tête sous l'eau. Dans mon cas, elle aura duré deux ans. C'était ma manière d'expulser ma douleur.

C'est facile de rejeter notre colère sur les gens autour de nous. Une grande colère amène parfois des épisodes de décharge émotionnelle, un peu n'importe où, n'importe quand, n'importe comment et surtout, sur n'importe qui. Nous devenons imprévisible, nous avons des changements d'humeur soudains et des impulsions presque incontrôlables.

Je me souviendrai toujours des commentaires qui me dressaient les cheveux sur la tête! Lorsque qu'on osait me dire que j'étais chanceuse... CHANCEUSE! Moi!? Oui, certains pensaient que j'étais chanceuse d'avoir hérité. Ma colère montait de quelques crans spontanément et sans retenue. Elle provenait principalement du fait que ces personnes n'avaient certainement pas réfléchi avant d'émettre un tel commentaire. De toute évidence, ce n'étaient pas des gens qui avaient vécu la même expérience que moi.

Tous les héritiers de ce monde vous diraient qu'un héritage n'est qu'une très faible compensation superficielle et passagère en comparaison de la perte subie. Je terminais toujours la conversation en offrant à ces gens de leur donner la totalité de mon héritage s'ils me ramenaient mon père. Par la suite, la colère m'habitait durant de longues heures, et même certaines fois, durant des jours.

La colère peut aussi amener une période d'acharnement comme, par exemple, vous évertuer à trouver un coupable.

Souvenez-vous de la petite voiture rouge qui a coupé la route à mon père lors de l'accident. Très longtemps, je me suis sentie dans un film de *James Bond* à croire dur comme fer que j'allais faire mon enquête et remonter à la source afin de trouver l'identité du chauffeur de cette voiture pour lui dire ses quatre vérités et lui régler son cas... Un tel fantasme exige beaucoup d'énergie et crée une fatigue extrême.

L'important dans cette phase est de trouver une manière de s'exprimer pour se libérer de la haine et du ressentiment. De bons moyens sont de faire de l'exercice physique, crier de rage (seul), danser, ou autres.

Il est aussi très important de rire, même pour des petites choses et même si ce n'est pas chose facile.

J'ai une suggestion à vous proposer.

Pour réussir à rire lorsque vous êtes déprimé, hargneux ou colérique, regardez-vous dans le miroir. Nous ne réalisons pas à quel point nous arborons un visage ridicule lorsque nous sommes dans un tel état. Je vous assure que vous rirez ou du moins que vous aurez le goût de changer d'expression!

Dans cette phase de colère où tout se bouscule, nous avons besoin de parler et aussi d'être écouté. Cet accès libère notre propension à dévoiler nos pensées à un autre être humain.

J'ai commencé à écrire ce livre durant la phase de la colère, au cours de la première année suite au décès de mon père. Tout ce que j'écrivais découlait de ma colère. C'était tellement mauvais que j'ai brulé le manuscrit. Rien de ce que j'avais écrit à cette époque ne se retrouve dans ce livre, car celui-ci a été écrit durant la phase d'acceptation.

D'ailleurs, dans la solitude, l'écriture est un excellent compagnon qui nous aide à vider une partie du trop-plein qui nous habite jour et nuit. Mon premier livre n'était pas qu'une erreur, il a été une véritable thérapie, mais jamais personne ne le lira.

L'écriture est une excellente manière d'exprimer nos émotions sans craindre d'être jugé ou mal interprété. Il est souvent plus facile d'écrire que de parler; de plus, elle nous permet de mettre nos idées en ordre. Elle nous amène également à voir les choses différemment, dans leur vrai contexte.

La colère, parfois dévastatrice, reste un très bon point de départ pour apprendre à gérer nos émotions. Sous peu viendra le début de réelles prises de conscience.

Si vous ressentez à l'intérieur de vous que vous entretenez un sentiment de colère depuis déjà quelques mois, même quelques années, le reste de ce livre représente pour vous une solution pour émerger enfin de cet enchevêtrement d'émotions négatives et destructrices.

J'insiste pour souligner l'importance de sortir de cette phase de colère après un certain temps afin de conserver votre santé mentale et physique.

Il est maintenant démontré et prouvé que les émotions négatives peuvent causer des maladies.

Vouloir sortir de la colère signifie que vous êtes prêt à faire face aux émotions qui se sont nichées sous votre état de colère et à prendre tous les moyens à votre disposition pour les régler une fois pour toutes. Les émotions font partie intégrante de la guérison.

Ces émotions sont la tristesse, le sentiment d'impuissance, d'injustice, de déception, de culpabilité, de honte, de rejet ou d'abandon, de peur, et autres. Reconnaissez-les et prenez tous les moyens pour vous en libérer.

Accéder à cette libération peut vous sembler être un exercice difficile à réussir, mais une décision à la fois, un choix à la fois, un jour à la fois, vous remarquerez que même si le changement s'opère subtilement, il y a tout de même une évolution. Comme je le dis souvent, si nous nous améliorons que de 1 % chaque jour, dans cent jours maximum, c'est réglé.

C'est le plus beau des cadeaux que vous pouvez vous offrir. Vous n'en retirerez que des bienfaits à tous les points de vue. Votre entourage bénéficiera de la nouvelle personne qui aura émergé du gouffre dans lequel vous étiez englouti lequel, somme toute, n'aura pas réussi à vous garder prisonnier dans ses filets.

À travers mon cheminement personnel, il y a une certaine partie de moi qui ne voulait pas mettre en place les bonnes stratégies pour me sortir d'un certain cercle vicieux. Sans nous en rendre compte, parfois, rester au fond du gouffre nous convient parce qu'ainsi nous recevons la pitié des autres.

Ce n'est vraiment pas de pitié que nous avons besoin, mais d'amour. Nous nous attirons cet amour en abondance, en émergeant de la noirceur dont certains sentiments nous gardent captifs.

Je lève mon verre à la création de votre nouveau VOUS et à cette vie où la nostalgie aura une place, mais pas toute la place.

« Le ciel ne s'éclaircit pas

tant que le tonnerre se fait entendre. »

- Lao Tse

Chapitre

HUIT

L'IMPULSIVITÉ ET LA FUITE

*« La mort ne me concerne pas puisque, tant que je vis,
la mort n'est pas et que,
quand la mort est, je ne suis plus. »*

- Epictète

Lorsque nous nous sentons au plus bas, l'envie de fuir est normale.

Nous nous mettons alors à penser qu'on souffrirait moins ailleurs, loin de notre vie et de notre quotidien que nous trouvons insupportable. Nous voulons simplement arrêter de souffrir et nous sommes prêts à faire n'importe quoi pour freiner cette souffrance, pour prendre une pause, un répit.

C'est à ce moment que nous pouvons découvrir à l'intérieur de nous la force de notre impulsivité, c'est-à-dire que nous agissons sous l'impulsion. Nos actions sont spontanées, irréfléchies ou plus fortes que notre volonté.

Certaines personnes peuvent se séparer, quitter leur travail, changer complètement d'orientation, abandonner leurs amis et s'en faire d'autres, créer des disputes pour rien, etc., simplement parce qu'elles doivent changer d'air.

Je vous raconte ce qu'a été ma plus grande fuite. À l'âge de dix-huit ans, impulsivement j'ai pris la décision d'aller en Australie avec un de mes amis, Alex. Après seulement deux semaines de préparation, nous sommes partis de l'autre côté de la planète, chez les *aussies*, comme on les appelle, au pays des kangourous. Oui, à l'autre bout du monde, et cela, pour une période d'un mois.

Pour entreprendre ce voyage, j'ai dû mettre fin à une relation de couple. Je préférais partir à l'aventure plutôt que de rester confinée à cette vie routinière. Ces émotions fortes me donnaient le sentiment d'être vivante et de reprendre le contrôle de ma vie. D'ailleurs, aucune opinion venant de mon entourage ne comptait pour moi.

Lors de cette prise de décision, le décès de mon père datait d'environ un an et elle me donnait enfin l'impression de respirer! Même en préparant ma valise, je me sentais revivre. Le temps d'envolée était d'environ vingt heures pour arriver à destination, et cela, sans compter les escales à Vancouver et Tokyo.

Vingt heures de pur bonheur à anticiper quelque chose de positif. Rendue à destination, un sentiment fantas-tique m'a complètement envahie, celui d'être à l'autre bout du monde! Je vivais un sentiment de liberté intense, lequel, en fait, était une illusion. C'était un de ces moments où nous nous faisons accroire que nos problèmes ne sont plus avec nous, qu'ils sont restés au Québec, chez soi, alors qu'en réalité, ils vivent toujours en soi. Où que nous allions, ils nous collent à la peau.

À ce moment précis, j'aimais cette illusion, cette sensation. L'air était différent, personne ne pouvait me contacter, me trouver ni me déranger. C'était agréable, intense, enivrant, j'émergeais des bas fonds, je revivais.

Tout était à découvrir : les routes, la végétation, le climat, la culture, les maisons, le style de vie, le peuple, sans oublier les kangourous et les koalas.

Chaque jour, je prenais le bus de la ville pour me rendre à cette plage connue qu'est *Bondi Beach* à Sydney. J'y passais beaucoup de temps toute seule; c'était la première fois depuis longtemps que je me sentais bien avec moi-même. Je ne faisais rien d'autre que de vivre le moment présent. Il y avait tellement de choses à voir, à entendre, à déguster, à explorer.

Un jour, j'ai décidé de ne pas aller à la plage, je préférais rester à la maison où j'habitais avec mon ami Alex et la famille qui vivait à cet endroit. Ce jour-là, tout le monde a dû quitter la maison pour vaquer à leurs occupations et je me suis retrouvée seule, malgré moi.

À ce moment-là, j'ai ressenti un fort sentiment m'envahir, celui *d'abandon*. Je suis tombée en état de panique, oui vraiment! Le mal-être est revenu reprendre sa place en moi. Déjà! Comme je l'avais laissé depuis trop longtemps me posséder, sans frapper à la porte de mon cœur, il m'a envahi sournoisement.

Je suis sortie de la maison et me suis mise à marcher très rapidement, incapable de réfléchir. Je marchais, marchais, je ne voyais rien autour de moi. Je cherchais un salon de perçages. Bien oui, pourquoi pas? Une fois fait, mon choix me choquera surement et me ramènera à l'ordre, comme une douche froide.

Oui, j'aurais peut-être dû prendre une douche froide au lieu de me rendre aussi loin dans mon manque de raisonnement, mais j'étais trop éloignée de la maison. Une chose est certaine, mon choix changera mon mal de place, comme s'il me servait de palliatif.

En plus, l'idée dont je n'avais jamais fait l'expérience auparavant me plaisait; laisser une marque sur mon corps d'un aussi beau voyage était une idée exaltante. Pour me convaincre et que je ne fasse pas marche arrière, je me disais que ce serait un beau souvenir. Je marchais, je cherchais, sans succès! Les australiens étant plutôt naturels, les *perçages* étaient plus rares qu'à Montréal, du moins à cette époque.

Comme j'étais à environ une heure et demie de marche et que j'étais désespérée, j'ai décidé de prendre une pause et de pleurer tout mon saoul.

Je me sentais bizarre parce que je ne percevais pas la raison de cette crise de larmes. Comme ce déversement me faisait du bien, j'ai alors continué de sangloter au point de n'avoir plus de larmes à verser, j'avais vidé mon puits.

De toute manière, je n'avais rien d'autre à faire et je n'arrivais pas à réfléchir.

Vidée d'émotions et d'énergie, j'ai levé la tête et j'ai aperçu devant moi une boutique de matériel d'art. J'y suis entrée et j'ai marché lentement dans chaque allée pour être bien certaine de tout voir. J'ai fini par acheter une toile vierge d'un format qui me permettrait de la ramener dans ma valise, des pinceaux et de la peinture acrylique.

J'ai pris le bus et je suis immédiatement retournée à la maison où j'habitais, heureuse de mes achats et sans perçage. Durant quatre heures, assise sur le balcon du deuxième étage de la maison toujours vide de ses habitants, j'ai peint une plage, un coucher de soleil, un palmier et des traces de pas dans le sable... les miens!

Je me souviendrai toujours de ce sentiment de liberté et de bonheur que j'avais ressenti sur cette plage en Australie à des milliers de kilomètres de ce qui m'était familier. J'avais réalisé deux choses : d'abord, celle que j'étais fragile et ensuite, que ce qui arrive ne se produit pas pour rien.. Je n'avais jamais peint avant ce jour-là. J'ai trouvé, grâce à cette nouvelle expérience, un moyen sain de m'exprimer. C'était le début d'un nouveau moyen d'épanchement en vue de la guérison de mes émotions.

Quelques jours plus tard, nous avons repris l'avion pour un court vol de deux heures. Nous nous rendions dans la jungle ne transportant qu'une tente et de la nourriture. Nous ne faisions pas partie d'un groupe organisé, que nous quatre : mon ami québécois Alex, un nouvel ami australien Jack, son père Sam et moi. Nous devions d'ailleurs coucher dans la superbe maison de Sam ce premier soir. Nous partions tôt le lendemain pour nous rendre dans la jungle.

En entrant dans cette maison, j'ai sursauté. Je ne pouvais pas en croire mes yeux. Une araignée velue aussi grosse qu'une main couvait ses œufs dans sa toile! Elle était dans le rideau de la cuisine, juste à la hauteur de mon cœur.

Comme j'ai toujours eu très peur des araignées et qu'elle était de loin la plus grosse que je n'avais jamais vue, j'ai tout de suite paniqué et exigé de la part de Sam de la tuer immédiatement.

J'ai aussi ajouté que s'il ne le faisait pas, que je dormirais dehors cette nuit-là. Il s'est mis à rire et m'a dit que je pouvais dormir dehors si je le voulais, que cette araignée était son amie et que cette petite bête s'assurait qu'aucun autre insecte déplaisant ne vive dans la maison.

Il a ajouté que les autres insectes et animaux vivant à l'extérieur étaient bien pires que cette araignée et que dormir à l'extérieur n'était pas une bonne idée dans ce coin du pays. Il m'a tout de même répété, très calmement et en souriant, que j'étais libre de faire à ma guise.

Il a bien vu que j'avais saisi ses propos, mais que je n'étais pas encore confortable avec l'idée. Il a pris le temps de me rassurer en me disant que plus les araignées sont grosses, plus elles sont indépendantes et moins elles sont dangereuses.

En plus, celle accrochée dans le rideau, étant très occupée à couver ses petits, n'avait aucun temps à me consacrer. Je me suis mise à l'observer et je me suis surprise à la trouver belle. Elle était noire et blanche, rayée comme un zèbre. Elle était si magnifique que j'ai pensé qu'elle ressemblait à un miracle de la nature. Je me suis bien rendue à l'évidence que c'était une des plus belles choses que j'avais vue de toute ma vie.

Après le souper, je me suis étendue sur le divan du salon. Ah non, c'est pas vrai! Une autre araignée au plafond, encore plus grosse cette fois et toute brune. Celle-là, n'avait vraiment rien de spécial sauf, qu'en plus d'être laide, elle bougeait. Elle se promenait sur une poutre au plafond. J'étais incapable de détacher mes yeux de cet insecte répugnant!

Un peu paniquée, j'ai demandé à Sam s'il y en avait d'autres dans la maison..! Toujours calme et souriant, Sam m'a répondu que parfois, il y en avait trois et parfois, quatre! Où étaient les autres? Dans la chambre où je devais dormir? Sous mon lit? Dans le lit? Je ne savais absolument pas comment j'arriverais à dormir, mais j'ai réussi. Je devais être épuisée.

Au lever, nous avons roulé durant plusieurs heures sur des chemins montagneux. Nous nous rendions jusqu'au site du campement où nous restions cinq jours. L'air étant très humide, ma peau était devenue moite. Je me sentais au milieu de nulle part, j'étais dans une jungle, loin de toute civilisation.

Après avoir fini d'installer notre campement, pour la première fois de ma vie, j'ai bu de la vodka. Comme je faisais beaucoup d'anxiété, j'ai bu très modérément, mais j'avoue que j'en ai quand même ressenti les effets. Tout à coup, un scarabée a atterri sur notre table! Normalement, j'aurais été complètement chamboulée, mais après avoir cohabité avec des araignées gigantesques, on aurait dit que tout devenait plus banal. Alex a alors décidé de partager la vodka avec l'insecte. Avez-vous déjà vu un scarabée ivre?

Nous nous sommes amusés durant de longues minutes à regarder ce magnifique scarabée vert tenter de s'envoler en tournant sur lui-même. Avoir la possibilité de s'amuser avec un scarabée, ça n'arrive tout de même pas tous les jours au Québec, n'est-ce pas!

Le lendemain matin, nous sommes allés nous laver dans un ruisseau. Tout le monde tout nu et à l'eau! J'ai toujours préféré la compagnie des garçons, mais ce matin-là, je me sentais assez seule dans mon groupe!

Le défi n'était pourtant pas de ne pas regarder les autres, mais plutôt de ne pas glisser sur les roches et, surtout, de ne pas échapper la barre de savon, laquelle aurait aussitôt disparu avec le courant. Revenue au campement, bien que je me sois lavée, je n'arrivais pas à me sentir propre. C'était tellement humide que je n'arrivais pas à sécher.

Pendant que je réfléchissais à mon inconfort, j'ai aperçu une petite araignée, splendide, la plus belle que j'avais vue de toute ma vie, encore plus belle que la zébrée velue du rideau de la maison. Elle était d'un noir parfait et décorée d'une fine ligne rouge sur le dos. Je n'avais aucune peur, j'ai pris une branche et je me suis mise à jouer avec elle.

C'est alors que Sam, qui venait de perdre son calme et son sourire, a accouru vers moi et s'est mis à taper sur cette belle petite créature comme un vrai fou!

Lorsque sa séance de violence a été terminée et qu'on ne voyait plus rien au sol, car il l'avait complètement écrasée, il était impossible de croire qu'il y avait déjà eu quelque chose à cet endroit.

Il était dans un état colérique incroyable et il m'a dit que cette araignée était une *red back spider*. C'était en fait la plus mortelle de toutes les espèces d'insectes de l'Australie.

Il a ajouté ensuite que si cette araignée m'avait piquée, ce qui aurait pu se produire étant donné que je l'agaçais, j'en serais morte à l'intérieur d'un court laps de temps. Puisque nous étions à des heures de route, il a conclu l'épisode émettant le commentaire suivant : « Je n'aurais rien pu faire pour toi! » J'étais passée tout près d'un drame, mais ça m'était égal!

Comme à ce moment de ma vie, je n'avais pas du tout peur de la mort, j'ai continué ma journée comme s'il ne s'était rien passé. Je me suis même mise à penser que finalement, j'aurais préféré aller retrouver mon père plutôt que de continuer cette vie.

Le lendemain matin, les yeux mi-fermés, je me suis éloignée du campement, un peu plus loin dans cette jungle. Je me suis adossée à un arbre pour faire mon besoin du matin.

Soudainement, à un mètre devant moi, sur un autre arbre, à la hauteur de mon visage, j'ai aperçu une araignée aussi grosse que ma tête! Bien que ce soit inconfortable d'arrêter d'uriner en plein milieu, cette fois-là, je l'ai fait sans aucune difficulté. Je n'arrivais pas à croire la grosseur des insectes dans ce pays!

Quelques heures plus tard, je me sentais vide. Je ne sais pas pour quelle raison, mais c'était comme si j'avais un trou béant à l'intérieur de moi, comme si mon âme avait quitté mon corps. Bref, je ne me sentais pas bien. J'ai mis une serviette sur mon épaule et, sans dire un mot, j'ai marché et j'ai avancé dans la jungle. J'ai marché durant environ trente minutes en ligne droite jusqu'à ce que je sois arrivée à un endroit qui me semblait parfait pour passer un moment en tête-à-tête avec moi-même.

J'ai étendu ma serviette sur le sol et me suis dévêtue complètement. Je me suis couchée sur le dos et je regardais le ciel. À ce moment précis, plus rien ne m'importait... la vie... la mort... le Québec... les araignées!

Tout à coup, j'ai entendu un bruit de pas. Mon premier réflexe a été d'imaginer un ours, mais il n'y a pas d'ours en Australie! Je suis donc restée immobile et j'ai rapidement constaté que si je devais m'enfuir, j'étais nue. Quelques longues secondes plus tard, j'ai aperçu un kangourou adulte avec ses deux bébés.

C'est précisément à ce moment-là de ma vie que j'ai commencé à croire aux signes, à ceux qui nous aident, ceux qui essaient de nous souffler une réponse. Les kangourous m'ont vue... nous nous sommes regardés... qu'allaient-ils faire? Me manger? Que mange les kangourous? Des herbes surement, pas des humains!

Ils ont continué leur chemin et, tranquillement, se sont éloignés. Ils étaient magnifiques, j'étais émue.

Tout s'était passé comme dans un rêve et semblait irréel. J'ai repris le chemin du retour en me disant que pour retrouver mon campement, je devais marcher en parfaite ligne droite durant trente minutes.

C'est alors que j'ai compris que je m'étais mise dans une bien mauvaise situation. J'ai choisi d'arrêter de réfléchir, de suivre mon instinct et de marcher jusqu'à ce que je retrouve le campement. C'est exactement ce que j'ai fait!

Un autre matin se lève, il était environ 5 h et Sam jouait de la guitare. Je me suis assise près de lui. Il a continué de jouer comme si je n'existais pas. L'émotion qui m'a habitée alors était des plus merveilleuse; je ressentais un sentiment de paix tellement exaltant... Sa musique était tellement cicatrisante, tellement pure. Ce moment restera à jamais gravé en moi.

J'ai vu une petite roche à mes pieds, je l'ai ramassée, l'ai tenue très fort dans ma main et je me suis promis que chaque fois que je tiendrais cette roche, j'entendrais les sons de cette guitare et que je ressentirais à nouveau ce merveilleux sentiment de paix en moi. J'ai toujours cette roche, elle signifie à mes yeux un moment de grâce pure.

La semaine étant terminée, nous sommes retournés à Sydney. Une autre belle expérience m'y attendait. Le *Mardi Gras,* une festivité mondiale; il s'agit d'un *rave* extérieur de 300 000 personnes. Je n'avais jamais vécu ce type d'expérience auparavant.

C'était la première fois que je voyais autant de gens bizarres! Il s'est avéré que ce fut une nuit très libératrice pour moi, une expérience unique, un moment où je pouvais être moi, sans jugement, un moment que je vivais, simplement!

Après cette expérience, j'ai continué de passer du temps seule avec moi-même. Le matin, j'allais courir dans le grand parc de Sydney et je me rendais par la suite à la plage pour profiter de tout ce bien-être qui prenait place en moi.

Puis, avec appréhension, j'ai dû me rendre à l'évidence qu'il me fallait affronter les vingt heures d'avion pour revenir à Montréal.

Dès l'atterrissage, j'ai compris que tout ce que j'avais fui m'attendait à mon retour, mal-être inclus.

Mon premier réflexe a été de vouloir aller vivre en Australie!

Pour choisir cette alternative, il me fallait quitter tous ceux que j'aimais de façon définitive. C'était un fantasme qui me permettait de m'évader mentalement. Je réalisais que chaque retour serait semblable, à quelques petites différences près.

Tous les grands auteurs et conférenciers qui ont voyagé pour fuir quelque chose ou encore pour trouver quelque chose en sont tous venus à la même conclusion : la réponse recherchée et le sentiment de bien-être ne se trouvent pas ailleurs qu'à l'intérieur de soi.

« Rien n'assure mieux le repos du cœur

que le travail de l'esprit. »

- Duc de Lévis

Chapitre

NEUF

L'ENNUI ET LA RECHERCHE

« Les morts sont des invisibles,
mais non des absents. »

- Victor Hugo

Avec tout le reste vient l'ennui! Tellement d'années ont été vécues avec la personne défunte, comment ne pas ressentir d'ennui?

On se surprend à se dire : « J'aimerais tellement qu'il ou qu'elle soit ici avec moi », « il ou elle aurait pu vivre ceci ou cela », « il ou elle aurait adoré cette chanson », « il ou elle aurait trouvé ceci ou cela beau », « il ou elle aurait été fier de moi », « il ou elle n'assistera pas à mon mariage, ne connaitra pas mes enfants. » Toutes ces pensées représentent des périodes d'angoisse intenses.

Nous nous surprenons à compter l'âge qu'aurait la personne, les années depuis son départ, comment elle aurait vieilli et bien d'autres dates chronologiques.

Ce qu'il y a de bien avec l'ennui, c'est que ce sentiment se modifie avec le temps; il change de forme et j'irais même jusqu'à dire qu'il change de dimension. Les pensées et les souvenirs sont toujours de plus en plus positifs, beaux et remplis d'amour. Certaines pensées nous font sourire, nous encouragent.

Lorsque vous vous ennuyez, une bonne chose est de ne pas vous isoler. Voyez des gens que vous aimez le plus souvent possible et acceptez tout cet amour comme un cadeau qui vous est destiné.

L'ennui amène souvent avec lui un autre phénomène qui est celui de se mettre, consciemment ou inconsciemment, à la recherche de la personne décédée. Votre cerveau peut commencer à vous jouer des tours en vous amenant à penser que vous voyez la personne en vrai.

Durant mon voyage en Australie, en plein milieu d'une superbe journée, j'ai vu mon père. C'était mon père!

La même grandeur, la même carrure, la même posture, les mêmes mains, la même bouche. Il parlait avec une super-be femme blonde. Nous avait-il quitté pour se refaire une vie à l'autre bout du monde? Mais non! Je l'ai vu mort étendu sur la table de la morgue! Mais alors, pourquoi était-il ici à cinq mètres de moi? J'ai alors demandé à Alex, mon ami qui m'accompagnait, s'il reconnaissait mon père. Il m'a rappelé qu'il ne l'avait jamais vu! J'ai connu Alex après la mort de mon père.

Je me suis alors avancée d'un pas déterminé vers cet homme, je le reconnaissais, c'était lui! Sans même lui adresser la parole, je lui ai retiré ses verres solaires du visage dans le seul but de l'engueuler! Lui et la belle blonde ont cessé de parler et m'ont fixée avec consternation.

Lorsque j'ai constaté que cet homme n'avait pas les yeux de mon père, je me suis sentie tellement triste; j'ai immédiatement expliqué la situation au couple. Je me suis excusée et je suis partie, sans me retourner.

Durant des années, j'ai cherché mon père. Je me disais qu'il avait été choisi par le FBI ou même la CIA comme agent double pour une mission ultra secrète et qu'il avait accepté ce mandat pour nous rendre riches. Ils étaient bien capables de reproduire un corps mort. J'étais d'un ridicule intense!

C'était plus fort que moi, mon cerveau roulait à une vitesse folle et j'imaginais des contextes tous plus abracadabrants les uns que les autres. Les films d'horreur et les intrigues policières s'empilaient dans mon imagination. J'étais devenue une grande créatrice de scénarios!

J'étais convaincue que je le chercherais durant des années, mais heureusement, plus j'avançais dans la guérison de mon deuil et dans mon acceptation, moins je le cherchais. Aujourd'hui, je ne le cherche plus, je sais où il est!

« La mer est aussi profonde dans le calme

que dans la tempête. »

- Victor Hugo

Chapitre

DIX

L'ANXIÉTÉ

*« Ce qui me surprend le plus chez l'homme occidental
c'est qu'il perd la santé pour gagner de l'argent et
il perd ensuite son argent pour récupérer la santé.
À force de penser au futur,
il ne vit pas au présent
et il ne vit ni le présent, ni le futur.
Il vit comme s'il ne devait jamais mourir et
il meurt comme s'il n'avait jamais vécu. »*

- Dalaï Lama

Nos pensées se mettent à se bousculer, à s'empiler les unes par-dessus les autres. Elles créent tout un désordre dans notre tête. Nous devenons bouleversés, nous développons des craintes, doutes, incertitudes, insécurités, appréhensions.

Toutes ces angoisses nous mènent à la peur et, très rapide-ment, nous commençons à avoir peur d'avoir peur.

Avec l'anxiété peut se développer l'hypocondrie. Nous commençons à penser que nous sommes malades, que nous avons des problèmes cardiaques, ou pire, un cancer. Moi, j'étais convaincue d'avoir un cancer au cerveau.

Il peut aussi se développer l'agoraphobie. Nous commençons à redouter les foules et les lieux publics comme les salles de cinéma. C'est beaucoup plus confortable de rester chez soi. Nous imaginons constamment des scénarios négatifs, ils prennent toute la place et l'anxiété est de plus en plus présente.

Il se peut qu'alors commence une période d'angoisse intense parce que cette roue n'a pas de fin.

Suite au décès de mon père, subtilement, l'anxiété s'est installée dans ma vie. Durant deux ans, j'ai eu envie de vomir avant de me coucher. Et devinez quoi? Je n'ai jamais vomi. Je me souviens de deux grosses crises. La première, j'étais debout dans ma chambre et, tout d'un coup, sans aucune raison, c'était comme si mon âme avait quitté mon corps. Mais, en fait, c'était pire, car je me sentais nulle part! Ni dans mon corps... ni ailleurs. C'était comme si je mourais.

Je me suis instinctivement dirigée dans la salle de bain et je me suis enroulée en petite boule dans un coin. C'est la froideur de la porcelaine du bol de toilette qui m'a fait savoir que j'étais de retour dans mon corps. Je me suis mise à trembler ne comprenant pas ce qui venait de se passer. Quelle humiliation de voir les yeux de mon copain se demandant s'il devait me conduire à l'hôpital ou à l'asile!

Ma deuxième grosse crise s'est déroulée de façon entièrement différente. Sans m'en attendre, dans ma voiture, je me suis mise à me sentir très mal. J'ai alors décidé de prendre la prochaine sortie et, comme je roulais dans la courbe de la sortie de l'autoroute, j'ai perdu la vue!

Rapidement, je suis arrivée à immobiliser mon véhicule et je me suis mise à trembler. J'ai tout de suite téléphoné à la police parce que je ne me sentais plus capable de conduire jusque chez moi.

Les policiers sont arrivés très rapidement, je tremblais encore. Ils m'ont donné le choix entre retourner chez moi avec ma voiture ou prendre l'ambulance pour aller à l'hôpital. Disons que j'aurais eu besoin d'une option entre les deux.

Une fois rendue à l'hôpital, je me sentais beaucoup mieux et, évidemment, un peu ridicule! J'ai finalement choisi d'attendre huit heures pour obtenir des explications d'un médecin.

Lorsque j'ai enfin pu en voir un, je me suis fait dire que c'était à cause de gens comme moi que les urgences débordaient! Que je n'avais pas à être à l'urgence, que je n'étais qu'un cas d'ANXIÉTÉ!

Le bon côté de cette expérience, c'est que j'ai su à ce moment-là que mon cas en était effectivement un d'anxiété... Pas un cancer, pas un problème cardiaque, pas un cerveau déficient, mais que j'étais une personne anxieuse.

Lorsque l'anxiété s'installe, nous avons tendance à nous laisser glisser dans les symptômes; la peur et les scénarios prennent de plus en plus de place, nous vérifions constamment notre niveau d'anxiété! Nous commençons à croire que nous perdons complètement le contrôle de notre vie, de notre corps et de notre tête.

Tranquillement, nous laissons empirer les choses. Graduellement, nous perdons notre autonomie, nous devenons de plus en plus dépendants des autres, nous sortons de moins en moins, nous nous isolons. Nous commençons à nous sentir de plus en plus mal et il devient même difficile de nous occuper de nous-mêmes. Il vous suffit de penser à l'anxiété pour qu'elle vous envahisse aussitôt!

Nous croyons que l'anxiété est d'ordre physique, mais elle est en fait d'ordre mental. Donc, pour sortir de l'anxiété, il faut faire des choix.

- Choisir de retrouver son calme à l'intérieur de soi,

- choisir d'être conscient que l'anxiété n'est pas une maladie physique,

- choisir d'admettre que nous avons laissé la peur prendre les commandes de notre vie,

- choisir de comprendre que c'est soi-même qui laisse les scénarios prendre des proportions démesurées dans notre tête,

- choisir de reprendre les guides de sa vie,

- choisir de regarder nos émotions en face et de prendre des moyens efficaces pour les gérer.

Bien sûr, l'anxiété semble être une ennemie, mais en fait elle est une amie, elle nous indique que quelque chose ne va pas. Si vous commencez à travailler en équipe, oui, en équipe, l'anxiété se dissipera et, sous peu, vous réaliserez que vous avez repris le contrôle de votre vie.

Demandez-vous en quoi consiste le message que l'anxiété essaie de vous faire comprendre. « Qu'est-ce que mon anxiété veut me dire? »

Peut-être êtes-vous fatigué physiquement, mentalement ou émotivement. Sentez-vous une surcharge, savez-vous que vous devez prendre une décision que vous ne prenez pas, êtes-vous sur le mauvais chemin?

Vous devez, d'abord et avant tout, conscientiser que l'anxiété n'est pas une émotion, mais bien un état. Un état créé parce que vous ne gérez pas vos émotions.

Les prochains chapitres de ce livre abordent des sujets relatifs aux émotions. Vous y trouverez des clés pour les gérer et, par le fait même, contrôler votre anxiété.

« Bien des gens acceptent de faire de grandes choses.

Peu se contentent de faire

de petites choses au quotidien. »

- Mère Teresa

Chapitre

ONZE

LA DÉPENDANCE ET LA SEXUALITÉ

*« La tendresse inspirée par la mort
fait aimer les vivants qui l'éprouvent. »*

- André Malraux

Lors d'un deuil difficile, nous devenons à risque de développer des dépendances, plus au moins grandes, pour que cesse de rouler en boucle dans notre tête toutes ces choses qui font si mal à l'intérieur.

Il y a de grandes dépendances comme l'alcool et les drogues qui peuvent amener pire encore comme mal-être à moyen-long terme. Il y a d'autres dépendances un peu plus subtiles comme la télévision. Cette dernière est une excellente forme d'évasion pour se couper de nos pensées nocives parce que nous nous transposons dans certains personnages, nous changeons de vie l'espace de quelques minutes ou quelques heures.

Les fumeurs de cigarettes et les buveurs de café ont tendance à augmenter leur consommation, ce qui a pour effet direct d'augmenter également leur niveau d'anxiété, même s'ils ont *l'impression* de se détendre.

Quelques mois après le décès de mon père, j'ai loué un condo dans une autre ville que celle où j'ai grandi. Au début, je me sentais bien dans toute cette nouveauté, mais après quelques jours seulement, je me suis mise à ressentir la solitude et l'inconfort. Je vivais un inconfort général, je le sentais dans mon corps, dans mon énergie, dans mon cœur, dans ma tête, dans mon sang, dans mon âme.

Un jour, n'ayant plus rien pour déjeuner, j'ai décidé de manger de la crème glacée. Ce propos semble bien anodin au premier abord, mais c'était pour moi le début d'une longue phase de déprime et de dépendance! Mon téléviseur étant dans ma chambre, je me suis mise alors à manger de la crème glacée, couchée dans mon lit, bien installée avec des oreillers derrière le dos, la douillette relevée jusque sous les bras. Je me sentais bien à être aussi délinquante! Comme je me sentais bien, je n'avais pas envie d'arrêter d'en manger, alors je continuais, jusqu'à en avoir la gorge complètement gelée, puis les lèvres et la langue.

Je ne sentais plus rien dans les deux sens du terme. Je grelottais, j'avais mal à la gorge, je toussais, je commençais à avoir mal au cœur, mais je n'avais pas envie d'arrêter. Je me suis arrêtée enfin... parce que le contenant était vide! Le lendemain, j'ai recommencé. Et le surlendemain... et les neuf mois suivants. J'étais devenue accro et cette dépendance alimentaire me créait des ennuis.

Je mangeais autre chose aussi, mais je mangeais de la crème glacée comme une goinfre a en avoir mal au cœur chaque jour... je sais que c'est répugnant, mais c'est vrai. Durant ces neuf mois, toutes ces calories ont additionné des kilos à ma petite personne. J'avais des des étourdissements, particulièrement sous l'eau chaude de la douche. Donc, il était devenu plus simple pour moi de choisir d'éviter de me laver. Mon cœur se mettait à battre de manière irrégulière, je me sentais toujours essoufflée, mon anxiété gagnait du terrain chaque jour.

Retrouver rapidement une bonne hygiène de vie, autant physique que mentale, est une priorité pour sortir de toute forme de dépendance.

LA SEXUALITÉ

Durant l'écriture de mon manuscrit, j'ai décidé d'inclure une section sexualité. Comme elle fait partie intégrante de la vie, je ne passerai pas cet aspect du deuil sous silence.

Il y a plusieurs types de deuils, donc il y a plusieurs types de réaction en lien avec la sexualité.

Lorsque nous perdons notre conjoint, nous perdons en même temps notre partenaire sexuel. Certaines personnes mettent un terme définitif à toute vie sexuelle, souvent par amour, par principe ou par peur. Il est même possible que durant quelques mois, ou même quelques années, de ne même plus penser au sexe. Tenter un retour progressif au niveau affectif et sexuel peut mener à un grand sentiment de culpabilité, souvent causé par une fausse impression d'infidélité.

En réalité, votre sexualité représente une partie de vous-même qui continue de vivre. Vous pouvez difficilement l'étouffer à tout jamais. Ne vous condamnez pas. Cet aspect de la vie vous fait sentir tellement vivant. La reprise d'une sexualité sera peut-être complexe, mais avec le temps, vous trouverez le courage de vous ouvrir progressivement au contact charnel.

Dans les cas d'autres types de deuil, la sexualité joue un tout autre rôle, elle deviendra une dépendance. Il est facile d'y avoir recours pour s'anesthésier. L'orgasme est une sensation intense de plaisir que nous recherchons. Il nous fait sentir vivant, bien vivant. Il nous procure une pause dans notre mal-être. Le problème provient du fait que l'orgasme est bref, d'où la naissance de la compulsion, soit à travers la masturbation compulsive ou la recherche constante de partenaires différents.

En excluant la masturbation, la sexualité répond également au besoin de proximité et de chaleur avec un autre être humain. Elle nous aide à surmonter une partie de notre chagrin, elle nous apporte un certain réconfort, mais il ne faut pas l'utiliser comme exutoire. La ligne est mince entre une passion réelle et une dépendance. Avoir besoin à tout prix de rapport sexuel pourrait occasionner d'autres conséquences.

N'importe quelle dépendance que vous développez sera nocive autant pour votre corps que votre tête à moyen-long terme.

« Il faut apprendre à rester serein
au milieu de l'activité
et à être vibrant de vie au repos. »
- Ghandi

Chapitre

DOUZE

LA DÉPRESSION ET LES TRAUMATISMES

*« Ce qui compte, ce ne sont pas les années
dont une vie a été composée,
mais plutôt la vie qu'il y a eu dans ces années. »*

- Abraham Lincoln

J'ai rencontré l'ennemi... c'était moi !

Je me sentais amputée d'une partie de moi-même. Je croyais ne jamais être comme avant la mort de mon père.

C'était devenu difficile de prendre soin de moi-même. L'espoir était devenu un mot qui me faisait rire de sarcasme. J'avais même peur de devenir folle, de ne jamais me ressaisir.

J'étais perturbée sur tous plans : mon sommeil, mon appétit, mon corps, mon cœur, ma tête, ma concentration, mon jugement, mes intérêts, plus rien ne me faisait plaisir.

Pour quelle raison est-ce que je me levais le matin? Où était l'intérêt de rester forte? Je ne savais plus où j'allais, j'étais perdue, je ne voyais plus mon chemin à travers la complexité de mes multiples problèmes. Si je ne pouvais plus avancer, à quoi bon continuer?

Il y a un grand paradoxe avec le deuil. Il nécessite beaucoup d'énergie et de travail interne pour se relever, et j'étais vide d'énergie!

Oui, il est vrai qu'une partie en soi meurt, mais une nouvelle naîtra bientôt. La personne que nous avons perdue n'est plus dans notre environnement de façon physique, mais il faut lui faire une place spéciale *en soi*. C'est la seule manière de la laisser vivre.

À première vue, surmonter une dépression parait terrifiant, mais elle prendra fin lorsqu'elle aura rempli son rôle. C'est ainsi que fonctionne le deuil, chaque phase ayant sa raison d'être. Faites de la place à ce qui se présente dans votre cheminement, même si cela vous apeure. N'essayez pas de résister ou de fuir, vous ne ferez que retarder le processus de guérison. Il vous sera plus bénéfique de plonger que de procrastiner! Vous vous rétablirez beaucoup plus rapidement. C'est d'ailleurs le but de l'exercice.

Comme la dépression est une phase du deuil que nous ne pouvons pas éviter, donnez-vous le droit, la permission d'être triste et malheureux, de pleurer, de mal vous nourrir, de vous isoler, d'être déprimé... oui vraiment, mais que pour un certain temps! Pas trop longtemps, mais accordez-vous une vraie pause, une période sans lutte.

Donnez-vous la permission de manquer d'efficacité. Nous sommes tentés de précipiter les choses, mais chaque chose en son temps. Laissez le processus de guérison suivre son cours, accueillez-vous dans votre convalescence, remettez à plus tard les décisions importantes et accordez-vous du temps. Ne dit-on pas d'ailleurs que le temps est le plus grand guérisseur?

N'oubliez pas que votre deuil est aussi unique que vous. Vivez-le à votre rythme. Il n'y a pas de cheminement précis. Ne laissez pas votre entourage vous imposer une manière de faire ou d'agir. Par contre, laissez-les vous procurer l'aide dont vous avez besoin.

Dans la dépression du deuil, notre estime est à son plus bas niveau. Nous nous demandons à quoi nous servons vraiment. Nous avons l'impression que c'est un miracle si notre partenaire de vie ne prend pas la poudre d'escampette. Combien de fois me suis-je répété que mon père ne devait vraiment pas être fier de moi?

Un élément qui nous garde captif dans cette phase dépressive ou qui nous y renvoie temporairement, c'est le fameux calendrier :

- 12 août 2005 : le jour de sa mort;

- 12 septembre : un mois qu'il est mort;

- 12 octobre : deux mois qu'il est mort;

- 12 novembre : trois mois qu'il est mort;

- 12 décembre : quatre mois qu'il est mort;

- 25 décembre : premier Noël sans lui;

- 27 décembre : son anniversaire de naissance, il aurait eu quarante ans;

- 1er janvier 2006 : il adorait fêter la nouvelle année avec sa famille et ses amis;

- 12 janvier : cinq mois qu'il est mort;

- 12 février : six mois qu'il est mort déjà;

- 12 mars : sept mois qu'il est mort;

- 12 avril : huit mois qu'il est mort;

- 18 avril : aujourd'hui, c'est mon anniversaire, j'ai dix-huit ans, je n'ai pas envie de m'amuser... et il ne téléphonera pas pour me souhaiter joyeux anniversaire;

- 12 mai : neuf mois qu'il est mort, je ne peux pas croire que ça fera bientôt un an;

- 12 juin : dix mois qu'il est mort;

- 18 juin : date de rencontre de mes parents, anniversaire que nous prenions la peine de souligner en famille;

- 12 juillet : onze maudits longs mois qu'il est mort;

- 12 août 2006 : déjà une année de passée... on dirait que j'ai l'ai vu hier... en même temps, je m'en ennuie comme si ça faisait vingt ans;

- 12 août 2015 : dix ans maintenant qu'il est mort, il serait à l'aube de sa cinquantaine;

- 18 avril 2027 : j'aurai trente-neuf ans, l'âge qu'il avait lors de son décès.

Quelque part dans ce calendrier, il y aura aussi, un mariage sans lui, des naisssances sans lui, de grands accomplissements sans lui... Une vingtaine de journées dans l'année où la souffrance se vit jusqu'au fond de notre puits d'émotions! Difficile de nous dissocier de ces sentiments toujours bouleversants!

Néanmoins, ces journées particulières ont deux aspects très positifs. C'est le moment de rendre hommage à cette personne aimée. C'est aussi le moment de se rendre hommage à soi-même... oui à SOI-MÊME! Pour notre force et notre courage, même si on ne se sent ni fort, ni courageux.

Nous vivons ces jours de mieux en mieux, année après année, mais nous n'oublierons jamais les dates importantes. Avec le temps, ces journées deviennent de plus en plus positives et festives, justement pour rendre hommage à cette personne que nous aimons toujours autant.

TRAUMATISMES

Je me suis aussi mise à me développer des traumatismes lesquels, même s'ils étaient petits, étaient tout de même effarants : les sirènes des voitures de police, des ambulances ou de pompiers. Mais le pire, c'étaient les cloches des églises... Chaque fois, elles me ramenaient directement à la mort et à la souffrance. Lorsqu'un véhicule d'urgence arrivait derrière moi sur la route, je me dépêchais à trouver un endroit pour me garer et je paralysais, j'angoissais durant plusieurs minutes avant de pouvoir reprendre la route. Imaginez mes réactions lorsque je voyais des accidents sur la route!

Nous avons l'impression que cette phase du deuil nous poursuivra jusqu'à notre dernier jour. Le vide reste incomblé. L'espoir d'être heureux de nouveau un jour est absent, ainsi que l'espoir de nous en sortir.

Au début de ce chapitre, j'ai écrit que j'avais trouvé l'ennemi. Si nous avons la capacité d'être notre propre ennemi et de se nuire, nous avons donc la capacité d'être notre meilleur ami, de nous aider et de nous aimer... beaucoup! Reposez-vous et, lorsque vous aurez un peu d'énergie, remontez! Pour y arriver, vous devez commencer à vraiment gérer vos émotions, vous dire les vraies choses et CHOISIR de vivre votre vie pleinement.

Il est temps de commencer à vous faire aider. Surtout si vous vous demandez : « Est-ce que je devrais consulter? » Une chose est certaine, cette aide ne peut pas vous nuire, elle ne peut que vous aider à prendre conscience de votre état et de choisir d'entreprendre un nouveau cheminement qui vous permettra de vivre pleinement votre vie.

Prenez les moyens pour sortir de cette *zone de confort* très inconfortable que vous vous êtes créée. Une zone de confort c'est comme une piscine. Je m'explique : pour sortir d'une piscine et nous rendre jusqu'à notre serviette, il faut prendre notre courage à deux mains parce que c'est plus froid à l'extérieur que dans l'eau. Dans la phase de dépression du deuil, lorsque nous en sortons de quelques centimètres, nous nous empressons d'y retourner instantanément. Le courage nous manque...

Ce que je vous propose au cours des prochaines pages, c'est d'apprendre à gérer vos émotions pour sortir de votre piscine, de votre zone de confort.

« Notre tête est ronde pour permettre à la pensée

de changer de direction. »

- Francis Picabia

Chapitre

TREIZE

LA TRISTESSE

*« Pleurer a toujours été pour moi
un moyen de sortir les choses profondément enfouies.
Quand je chante, je pleure souvent.
Pleurer, c'est ressentir, c'est être humain. »*

- Ray Charles

Vous ne pouvez pas échapper à la souffrance et à la douleur causées par la perte. Cette tristesse qui est en vous doit se dissiper à un moment ou à un autre.

J'ai observé, au cours de mes dernières années de pratique professionnelle, que la moitié des gens environ croient que pour se libérer de la tristesse qui les habite, ils doivent penser à autre chose de plus joyeux. C'est de la fuite!

C'est carrément de faire accroire à notre cerveau que ce qui nous rend triste n'existe pas ou n'est pas important.

Que fait notre cerveau ensuite? Il nous fait comprendre que ce qui nous rend triste nous rend vraiment triste! Nous commençons donc à être triste plus souvent, plus longtemps et, parfois même, lorsque nous nous sentons triste, la raison nous échappe. En repoussant la tristesse, chaque fois, elle commence à s'accumuler à l'intérieur.

Si vous pleurez a en avoir mal ou si vous pleurez durant des heures, c'est dû au fait que vous ne pleurez pas assez souvent. Et si vous pleurez chaque jour durant des heures, c'est soit que vous avez vécu un événement marquant tout récemment et, dans un tel cas, c'est normal. Je vous suggère de pleurer jusqu'à ce que votre puits soit vide. Par contre, si vous n'avez rien vécu de tragique récemment, c'est probablement parce que vous avez accumulé un trop-plein de tristesse à l'intérieur de vous depuis trop longtemps. Maintenant, elle veut sortir!

Certains pensent que pleurer est une faiblesse. Nous savons maintenant que pleurer est non seulement normal, mais aussi nécessaire! Sachez qu'il faut une force et une détermination remarquables pour affronter le deuil. Alors, même si vous ne vous sentez pas fort, vous l'êtes beaucoup plus que vous ne le pensez! Au fond de vous réside des forces dont vous ne soupçonnez même l'existence.

Dites-vous bien que si vos larmes coulent, c'est parce que votre tristesse est trop grande pour rester confiner à l'intérieur. Laissez-la s'exprimer et s'envoler. À quoi servirait-il de vouloir garder la souffrance à l'intérieur de soi?

Je vais vous dire encore mieux. Parfois, votre tristesse vous fait des cadeaux... en effet! Vous savez, les moments ou vous pleurez en regardant un film ou en entendant une chanson en voiture... Ce sont des moments où votre corps vous permet de libérer votre accumulation de tristesse sans nécessairement savoir de quelle tristesse il s'agit exactement. C'est votre cerveau inconscient qui choisit pour vous. Profitez-en, pleurez, libérez-vous! Ressentez ensuite l'apaisement que vous a procuré cette effusion.

Il peut arriver aussi que vos rires mènent aux larmes. Ou encore que les histoires des autres vous rendent plus émotif qu'à l'habitude. Inconsciemment, plusieurs fois par jours, vous réglez des parties de votre vie.

Permettez-moi maintenant de démystifier une fausse conception à propos du deuil. Se laisser mourir de chagrin N'EST PAS UNE PREUVE SUPRÊME D'AMOUR. Une tristesse authentique qui se modifie et s'estompe avec le temps est une preuve d'amour plus que suffisante.

À travers un deuil, nous pleurons souvent, mais pas toujours à la même intensité. En pensant à la personne décédée, parfois ce souvenir nous rassure, d'autres fois, selon le moment, nous chagrine. Lorsque nous faisons du ménage et que nous tombons sur des souvenirs, c'est normal de nous attendrir.

Je n'oublierai jamais cette tristesse qui me semblait trop grande pour mon petit corps lorsque j'ai vu tous les vêtements de mon père dans la penderie.

Je le voyais encore dans chaque vêtement. Je me souviendrai toujours de lui appuyé sur le comptoir près du lave-vaisselle. Je pourrai toujours ressentir dans mon cœur la dernière caresse faite par un père à sa fille...

La chanson *Si fragile* de l'auteur-chanteur Luc De Larochellière m'attendrira toujours.

J'accepte, neuf ans après son décès, de sourire la majorité des fois où je pense à lui. Parfois je pleure, comme lorsque je pense au fait qu'il ne sera pas là physiquement pour marcher vers l'autel appuyée à son bras le jour de mon mariage, que je ne le verrai jamais aimer mes enfants, que je n'entendrai plus jamais : « Je suis fière de toi ».

Après avoir pleuré, je me dis aussi d'autres choses : qu'il sera présent à mon mariage, qu'il les aimera mes enfants, ses petits-enfants, et qu'en plus, il les protégera! Aussi, qu'il est très fier de moi!

Apprenez à vivre avec votre tristesse et vous arriverez ainsi à vous en libérer plus rapidement.

« Si tu veux l'arc-en ciel,

tu dois supporter la pluie. »

-Dolly Parton

Chapitre

QUATORZE

L'IMPUISSANCE

« La mort est une possibilité que chacun
porte en soi à chaque instant. »

- Marcel Achard

Bien sûr, nous sommes impuissants devant la mort. Survivre au départ de ceux que nous aimons n'est pas chose facile, mais nous devrons tous y faire face un jour ou l'autre.

La mort fait partie de notre vie, elle se présente même si nous ne lui avons pas donné rendez-vous. Aussi bien gérer nos deuils de façon plus efficace.

En bref, la définition de l'impuissance ressemble à dire que nous n'avons pas le contrôle. Pour la thérapeute que je suis, la définition de l'impuissance ressemble plutôt à dire que j'essaie de contrôler l'incontrôlable! Ce n'est pas la meilleure des idées.

Par exemple, les gens qui passent une mauvaise journée parce qu'il pleut.

Que peut-on contrôler dans la vie? La température? Les autres êtres humains? Votre conjoint? Vos enfants?

Nous pensons pouvoir contrôler nos enfants parce que lorsqu'ils sont jeunes, ils font presque tout ce que nous leur demandons, mais très vite ils apprennent eux aussi à prendre le contrôle de leur vie, ce qui représente un apprentissage très positif.

Bref, nous ne contrôlons pas grand-chose finalement! Lorsque nous essayons de tout contrôler, nous en ressentons un certain malaise. C'est à tout le moins stressant. Pour quelle raison sommes-nous stressés? Parce que nous savons très bien que nous ne contrôlons rien venant de l'extérieur!

Il reste quand même une chose qu'il est possible de contrôler... SOI-MÊME! Et, pas totalement, parce que si c'était le cas, personne ne serait malade, n'accuserait de surplus de poids, ou autres. Ce que nous pouvons contrôler vraiment, c'est notre attitude, nos pensées, nos décisions, nos choix, notre volonté et tout ce qui entre dans cette ligne de pensée.

Le paradoxe, c'est que les gens qui s'investissent à contrôler l'extérieur sont souvent (très souvent) ceux qui ont le plus de difficulté à contrôler *leur* intérieur. Trop d'énergie est gaspillée à tenter de changer ce qui n'est pas en leur pouvoir.

Certains sentiments nous ramènent rapidement à l'impuissance, comme le sentiment d'injustice, l'incompréhension ou la déception.

L'inverse du contrôle est le lâcher-prise. Facile à dire, je sais !

Je vous donne ici quelques trucs pour y arriver plus facilement :

• D'abord, relevez les choses à propos desquelles vous n'avez pas de contrôle. Vous devez absolument prendre conscience que vous ne contrôlez presque rien dans votre vie. Cela pourrait ressembler à ceci : « Ah ! non, il pleut ! Ah ! oui, c'est vrai, je n'ai pas de contrôle là-dessus, aussi bien passer une belle journée. » « Ah ! non, je vais être en retard ! Bon, je ne peux plus rien y faire maintenant, aussi bien passer une belle journée. »

• Concentrez votre énergie sur les choses que vous pouvez contrôler. Travaillez sur vos perceptions telles que votre patience, votre humeur votre attitude, vos réactions. Vous serez plus heureux ! En développant une meilleure capacité à lâcher prise, la personne qui y gagne le plus, c'est vous !

• Faites preuve d'ouverture vis-à-vis des autres êtres humains. Comprenez que seuls les gens blessés blessent les autres. Les gens qui vont mal se sentent mal et font souvent du mal autour d'eux. Les gens qui vont bien veulent continuer à être bien et à faire du bien.

• Une étape très importante en relation avec le lâcher-prise est le pardon. C'est une étape moins facile pour plusieurs. Sachez que le pardon sert à la personne qui pardonne, elle se libère de ce sentiment de haine omniprésent. Vous n'êtes pas obligé de dire à quelqu'un que vous lui pardonnez. C'est pour vous que vous devez le faire, et cela, dans le but de passer à autre chose. Offrez-vous ce cadeau.

Assurez-vous de ne pas vous faire accroire que vous lâchez prise. Faites-le vraiment. Lorsque le lâcher-prise est bien fait, vous ne vivez plus d'émotions négatives par la suite pour la même raison.

« Tout nuage n'enfante pas une tempête. »

- William Shakespeare

Chapitre

QUINZE

LA CULPABILITÉ

*« La perte de la vie n'est pas autre chose
qu'une transformation. »*

- Marc Aurèle

La culpabilité, c'est avancer dans sa vie en se tapant dessus! À force de se taper sur la tête, nous devenons de plus en plus petit à l'intérieur. Notre estime de nous-mêmes diminue considérablement.

Les gens qui vivent de la culpabilité se rendent vulnérables. Il est même possible de détecter facilement les gens qui ont une très faible estime d'eux-mêmes. Conséquemment, ce type de personnes se place dans une très mauvaise position, celle d'une personne dont on pourrait abuser. Pourquoi les autres n'auraient-ils pas envie de vous taper dessus si vous le faites vous-même?

La culpabilité est clairement un jugement que l'on porte sur soi-même. Il est assez difficile ensuite de ne pas se faire juger par les autres.

La culpabilité est, en fait, comme un poison lent parce qu'elle peut s'installer subtilement à l'intérieur de nous et grandir lentement pour que nous nous adaptions à sa présence.

Dans le deuil, étant donné que nous sommes déjà fragiles, nous devons garder à l'œil le sentiment de culpabilité. Il arrive à se faufiler insidieusement, mais il est mauvais pour notre cheminement. Toute l'énergie investie à se culpabiliser serait beaucoup plus productive si elle était utilisée pour avancer.

Je me souviens, lors des funérailles de mon père, un enfant m'a fait rire. Je me souviendrai toujours de m'être fait juger parce que j'ai ri lors de cette journée épouvantablement lourde. J'aurais dû assumer et ne pas tenir compte de ce regard, mais non, je me suis sentie très coupable.

Je me suis mise à penser qu'effectivement, je n'avais pas le droit de rire, seulement de pleurer.

Souvent dans des cas de maladie, nous nous rendons coupables du soulagement ressenti lors du décès. Ou dans des cas de disparition ou d'accident, nous nous sentons coupable de négligence.

Pourtant, nous n'aurions rien pu changer, puisque tout ce qui a été fait dans le passé était correct lorsque le passé était, en fait, le présent. Il faut garder en tête de rester réaliste et de relativiser les situations.

Dans n'importe quel type de perte, nous pouvons nous sentir coupable à propos de la dernière dispute ou du temps que nous aurions pu passer avec la personne ou encore de tout ce que nous n'avons pas dit ou fait. Tout cela est inutile maintenant, acceptons simplement le fait qu'il est impossible de changer quoi que ce soit au passé.

Certains en viennent même à penser qu'ils auraient pu éviter le décès, comme dans le film *L'Effet papillon*. Le personnage principal a le pouvoir de changer une chose dans le passé et alors, toute l'histoire change et prend une autre orientation.

Ce n'est pas une possibilité. Non seulement nous ne pouvons pas changer le passé, mais de plus, nous ne pourrions pas savoir d'avance! Bien sûr, il ne faut pas vivre notre vie en fonction d'éviter la mort.

Nous devons plutôt nous assurer de la vivre le mieux possible pour ne pas accumuler de regrets inutiles.

Les événements sont le résultat d'une combinaison de facteurs à propos desquels nous n'avons aucun pouvoir, ni aucune influence. Avant que mon père ait son accident de moto, il était au travail. A-t-il dû retourner chercher quelque chose? A-t-il parlé à quelqu'un durant trente secondes? Un tout petit détail aurait pu tout changer... oui, c'est possible. Néanmoins, il nous est absolument impossible de prévoir. Si nous le pouvions, la vie ne serait pas ce que nous en connaissons.

Partons alors du fait que la culpabilité est nocive pour soi et, qu'en plus, elle n'a jamais ramené un mort à la vie. Cette phase de culpabilité ne doit pas persister ni prendre de l'ampleur.

- Comment se débarrasser de ce poison lent?
En lâchant prise sur les événements.

- Comment lâcher prise sur les événements?
En les acceptant pour ce qu'ils sont.

- Comment accepter?
En vous pardonnant vous-même.

Se pardonner soi-même peut paraître très complexe et, parfois même, impossible. C'est une chose que nous devons tous faire pour nous-mêmes. C'est une preuve de générosité et d'amour envers soi.

Lorsque c'est fait, nous le sentons, nous le savons parce que nous revivons. Faites-vous ce cadeau.

« Chacun, par ce qu'il pense,

est seul responsable de sa vie,

c'est-à-dire de sa destinée. »

- Platon

Chapitre

SEIZE

L'ABANDON

*« Chacun porte au fond de lui
comme un petit cimetière de ceux qu'il a aimés. »*

- Romain Rolland

Que l'on perde un emploi ou qu'une personne importante nous quitte, durant un certain temps, nous ressentons un sentiment de solitude, de rejet, d'abandon. C'est le pire sentiment ressenti par l'être humain et l'inverse est la plus grande quête d'une vie. Je parle ici d'autonomie affective.

L'autonomie affective ne signifie pas de pouvoir vivre seul et se préparer des repas. C'est beaucoup plus que ça. C'est en fait de considérer et d'accepter que la personne qui compte le plus pour vous, c'est vous! Donc, votre priorité dans la vie est d'aller bien, d'être bien dans votre peau. C'est aussi de vous aimer, de vous respecter et de toujours prendre la meilleure décision quant à votre bien-être.

Cela peut représenter le travail d'une vie. Commencez dès aujourd'hui, vous irez beaucoup mieux à brève échéance. Vous n'êtes jamais seul tant que vous êtes avec vous-même. Assurez-vous de ne pas être votre ennemi, mais plutôt votre meilleur ami.

Je vous raconte une autre de mes aventures cette fois-ci en Martinique.

Je suis partie pour trois semaines vers la Martinique avec une amie qui y est née. La première semaine s'est très bien passée. Nous habitions chez ses parents, j'étais donc complètement plongée dans la culture et dans la nourriture martiniquaise.

J'adorais cette belle expérience, car je suis curieuse de nature, j'aime découvrir. Tout y était différent : les maisons, les routes, les odeurs, les habitudes, la culture. Tout me fascinait. Les mangues en Martinique sont bien meilleures que tout ce que nous pouvons trouver au Québec.

J'en décrochais une d'un arbre et croquais dedans pour l'ouvrir. Il m'était impossible de manger une mangue sans être salle et collante par la suite. Elles sont tellement juteuses, je devais la manger penchée vers l'avant et je réussissais quand même à en faire couler sur moi, son jus dégoulinait sur mon menton et mon cou. Je me disais qu'une prochaine fois, il vaudrait mieux que j'attende d'être à la plage avant d'en déguster une autre. Bonne idée! C'est donc ce que j'ai fait.

Rendue à cette plage paradisiaque dont la vue donne sur une petite île montagneuse qui ressemble à une femme nue couchée sur le dos, un homme se promenait et offrait de la glace au coco, aussi délicieuse que les mangues!

Un voyage absolument de rêve jusqu'à ce que l'alerte jaune soit donnée aux habitants; la jaune précède la rouge. C'est le moment où les gens doivent se préparer pour la venue d'un ouragan. Un typhon! Quoi!? Je veux partir tout de suite! Je me suis rendue à l'aéroport. Combien ça coûte? Quelle est l'heure du prochain vol? On m'a répondu :

« Vous ne pouvez plus sortir du pays madame. Plus personne n'entre, plus personne n'en sort. »

Quoi? C'est pas vrai... ce n'est pas possible! Mais qu'est-ce que je fais maintenant?

De retour à la maison familiale de mon amie, j'ai pris conscience de tout ce qu'il y avait à faire avant la venue de ce cyclone : barricader la maison, aller au marché faire des provisions, ranger tout ce qui est à l'extérieur...

Les gens se bousculaient partout, ils faisaient des files d'attente pour acheter du pain et de l'eau, certains volaient même les provisions. C'était l'état d'urgence, la panique générale!

L'ouragan qu'on nommait DINE serait là dans la nuit. Non, mais je m'en foutais de connaître le nom de ce qui pourrait bien me tuer!

- Calme-toi Valérie, en Martinique, les tempêtes tropicales sont fréquentes, me dit la mère de mon amie.

- Ah oui! Donc, un ouragan est une tempête tropicale?

- Pas tout à fait, un ouragan est pire.

- D'accord... et les ouragans sont fréquents?

- Non, pas vraiment. En fait, ça fait environ vingt ans que la Martinique n'a pas connu une tempête de cette magnitude.

- Alors, pourquoi devrais-je me calmer? Comment était-ce après l'ouragan il y a vingt ans?

- Dévastation.

- Mon Dieu, je vais mourir!

L'heure du souper est arrivée, tout le monde a mangé relativement calmement... mais moi, je ne pouvais rien avaler, j'avais la gorge tellement serrée, il y avait à peine assez d'espace pour laisser l'air circuler.

Ensuite, ce furent les derniers préparatifs et tout le monde a pu aller se coucher. Se coucher? Comme s'il était possible de dormir en attendant qu'une tempête ravage tout sur son chemin. La stratégie de mes hôtes était quand même bonne; ils voulaient avoir quelques heures de repos avant son arrivée afin d'être plus reposés pour mieux gérer la situation.

Impossible pour moi de dormir. Je ne ressentais aucunement la fatigue en moi. La pluie est arrivée, le vent, la force du vent a augmentée et faisait craquer toute la maison.

Durant la tempête, je me disais que la maison allait s'effondrer sur nous, que le toit allait me tomber sur la tête.

Je parlais à mon père : « Papa, j'espère que ton nuage est confortable, garde-moi une place juste à côté de toi, j'arrive! »

Les arbres étaient tous courbés par la force du vent, c'était d'une violence inouïe... Le frère de mon amie dormait comme un bébé, je n'arrivais pas à y croire. Oh! J'ai vu un gros arbre se faire déraciner comme s'il ne tenait que par un fil. Son frère s'est levé la tête et m'a dit :

« Valérie, s'il te plait, cesse de parler. Si jamais tu vois une vache voler, réveille-moi, je ne voudrais surtout pas manquer cela! Sinon, laisse-moi dormir. »

Comment faisait-il pour rester calme? Je me disais qu'il n'était pas normal. Plusieurs heures plus tard, l'enfer s'est enfin calmé. Il aura duré très longtemps parce qu'un typhon se nourrit d'eau et comme la Martinique est une île, elle l'a alimenté, l'a rendu encore plus gros et plus fort.

Au matin, nous sommes tous sortis à l'extérieur pour constater l'étendue des dommages. Plus de jardin, plus de fleurs, moins d'arbres, des détritus partout, des volets de maison brisés, etc... Ce n'était pas le pire!

Nous sommes allés nous promener en voiture, difficile randonnée parce qu'il y avait des arbres et toutes sortes de choses qui jonchaient les rues.

Oh! Les bateaux étaient virés à l'envers dans l'eau, il y en avait même en dehors! Les poteaux et fils électriques étaient tous arrachés et trainaient au sol. L'église était brisée en deux! L'école n'avait plus de toit. Les voitures étaient renversées sur le toit ou le côté, ou s'étaient agglu-tinées les unes contre les autres. Les petites maisons étaient détruites... et j'en passe! C'était la consternation générale.

Je n'avais jamais vu autant d'adultes pleurer en même temps... Je n'avais jamais assisté à un tel déploiement de découragement et de souffrance.

Les habitants de la Martinique n'ont pas d'assurance pour les protéger et certains n'ont pas d'argent. Le communiqué annonçait que quatre-vingts personnes âgées étaient décédées d'une crise cardiaque durant la nuit et qu'une quinzaine de personnes d'âges divers étaient décédées à la suite de blessures.

C'est en Martinique que j'ai appris que, même à travers la pire épreuve, nous ne sommes jamais seuls. Les gens ont dû s'entraider, rebâtir, rétablir l'économie locale, s'encourager, se soutenir, se consoler, s'aimer... et quoi encore!

Vous non plus n'êtes pas seul, regardez bien autour de vous et aussi regardez en vous... même lorsque vous êtes seul, vous ne l'êtes pas. À l'intérieur de vous habite l'enfant que vous avez été. C'est cet enfant blessé qui demande à être rassuré, aimé, accompagné... La meilleure personne pour lui offrir ce soutien, c'est *VOUS*. Prenez le temps de prendre soin de votre enfant intérieur qui vous réclame à cor et à cri, c'est en le rendant autonome que vous le deviendrez.

« Il est doux d'être aimé par soi-même. »

- Beaumarchais

Chapitre

DIX-SEPT

LES PEURSSS

*« Nul ne peut atteindre l'aube
sans passer par le chemin de la nuit. »*

- Khalil Gibran

Commençons par mettre au clair que les inquiétudes, les craintes, les doutes et les incertitudes sont des peurs bien emballées.

C'est une manière détournée de nommer la peur et de se faire accroire que nous n'avons pas peur. Par exemple : je suis inquiète pour mon enfant parce que j'ai peur qu'il ne réusssisse pas à l'école; j'ai la crainte de ne pas arriver à boucler ma fin de mois parce que j'ai peur de ne pas arriver à payer mes comptes; je doute de mes capacités parce que j'ai peur de ne pas être à la hauteur; je suis incertaine de mon choix parce que j'ai peur de me tromper. Et combien d'autres, la liste peut s'allonger indéfiniment.

Ces exemples confirment que nous avons souvent peur. En fait, une revue psychiatrique a révélé que 97 % de nos peurs ne se réaliseront jamais... et les 3 % restants représentent souvent des peurs du genre :

« J'ai peur de ne pas arriver à la pharmacie avant la fermeture. Ah! Je le savais, elle est fermée! » Voilà une peur qui vient de se réaliser, une petite peur, mais est-ce que vos grandes peurs émotives comme la mort, la maladie ou les scénarios d'échec auxquels vous pensez se réalisent souvent? Rarement, voire presque jamais!

Ceci est une preuve qui signifie que nous entretenons beaucoup trop de peurs totalement injustifiées... et inutiles. C'est encore pire chez les personnes nerveuses qui vivent du stress ou de l'anxiété. La peur devient leur quotidien et elles ont rapidement l'impression de devenir paranoïaques. La peur d'avoir peur devient partie intégrante de leur quotidien. Elles se créent une zone de confort de laquelle elles n'ont aucune envie de sortir. C'est plutôt ironique de penser que la peur peut devenir une zone de confort.

Voici donc une excellente raison de conscientiser que la peur représente en général une très grande perte de temps et d'énergie. Dans votre vie, particulièrement dans le deuil, vous avec besoin de cettte énergie pour autre chose de beaucoup plus productif. Cessez le plus rapidement possible de la gaspiller à travers vos scénarios et vos peurs.

Je me souviens de cette période où j'avais peur d'avoir un accident, de mourir, de perdre quelqu'un d'autre, d'oublier la voix de mon père ou son visage, de devenir folle, de ne plus jamais être heureuse, d'être angoissée et triste le reste de ma vie, en fin de compte, j'avais peur d'avoir peur. Je souffrais de toutes ces peursss!

Alors, de quelle façon arriver à se sortir de nos peurs sans, en même temps, perdre la raison?

En se concentrant sur nos envies, car derrière chaque peur, il y a une envie. Vous avez peur de manquer d'argent parce que vous avez envie de vous sentir libre financièrement; vous avez peur d'être gros parce que vous avez envie d'être svelte, confortable, bien dans votre corps. Vous avez peur de mourir parce que vous avez envie de vivre!

Vos peurs ont été créées dans votre passé, ce qui explique la raison pour laquelle nous n'avons pas tous les mêmes peurs. Vos envies sont dans votre futur, tout comme vos rêves, vos objectifs, vos quêtes, vos désirs, et autres. Cette image signifie que vous voulez aller vers le futur tout en restant captif de votre passé. Rien ne va plus!

C'est comme si vous marchiez dans la rue en regardant derrière vous plutôt que devant. Qu'arriverait-t-il s'il y avait un poteau sur votre chemin? Vous fonceriez dedans. Si vous regardiez devant vous, qu'arriverait-il si vous croisiez le même poteau? Vous le contourneriez facilement.

Alors voici ma question :

Comment un obstacle aussi facile à éviter devient-il aussi gros et important si vous avez peur?

Voici donc une autre excellente raison de conscientiser que la peur représente une perte de temps et d'énergie. Elle vous indique simplement que ne regardez pas dans la bonne direction.

Lorsque nous sommes dans la peur, nous perdons de vue nos envies, nous vivons dans la crainte et la négativité et tout ce que nous trouvons à dire lorsque nous frappons un mur, c'est : « *Pourquoi est-ce que ça m'arrive encore? Qu'est-ce que j'ai fait pour mériter cela?* »

Ce n'est pas la faute de la vie, il faut bien se rendre à l'évidence, c'est vous qui ne regardiez pas devant.

Une chose est certaine, il y aura d'autres poteaux sur votre chemin. Pourquoi ne pas les éviter facilement à partir d'aujourd'hui simplement en regardant devant vous au lieu d'avoir peur?

Restez aligné sur ce que vous voulez véritablement, gardez les yeux rivés vers l'avant, ne faites pas un ravin d'une craque, ni d'une roche, une montagne. Prenez le contrôle de vos pensées et restez concentré sur vos envies.

« Nous sommes ce que nous pensons.

Tout ce que nous sommes résulte de nos pensées.

Avec nos pensées,

nous bâtissons notre monde. »

- Bouddha

Chapitre

DIX-HUIT

LA SPIRITUALITÉ

« Si l'âme n'était pas immortelle,
la mort serait un guet-apens. »

- Victor Hugo

La spiritualité n'est pas la même chose que la religion. Si pour vous la religion est votre spiritualité, c'est parfait, mais si vous ne pratiquez aucune religion, rien ne vous empêche de vivre une forme de spiritualité.

Chaque individu entretient une spiritualité qui lui est unique. C'est un sujet très personnel et vous pouvez choisir de garder privé cet aspect de votre vie, mais tout de même prendre le temps de vérifier à l'intérieur de vous à savoir si vos croyances sont bonnes pour vous.

Comme nous avons tous des croyances profondes, parfois similaires, parfois tout à fait différentes. Il peut s'avérer compliqué d'échanger librement sur ce sujet, sans se faire juger par notre entourage.

Ceux qui croient, religieusement ou spirituellement, sont convaincus que leurs croyances sont les meilleures. Il est préférable de traiter de ce sujet avec des gens neutres qui respecteront les vôtres, sans tenter de vous imposer les leurs.

Pour vérifier si votre spiritualité est adéquate pour vous, demandez-vous : « Est-ce que ce en quoi je crois m'aide à avancer ou me limite dans ma vie ? »

Si vous vous répondez que vos croyances vous aident à avancer, comme par exemple : « Mon défunt père m'aide de là où il est en ouvrant des portes sur mon chemin », signifie que vous avez une base spirituelle solide. Il est tout de même important de vous reposer cette question à l'occasion parce que la vie change, les circonstances aussi et vous aurez peut-être à évaluer votre spiritualité et vos croyances en cours de route.

Si vous vous répondez que vos croyances vous limitent dans votre vie, comme par exemple : « J'ai peur des esprits ou des morts », sachez que vous mettez beaucoup d'énergie à vous torturer inutilement.

Si vous vous répondez que vous ne croyez en rien, sachez que j'ai pu observer, au cours de mes années de pratique, que les gens qui ne croient en rien avancent beaucoup moins rapidement durant une période de deuil.

Croire en quelque chose de plus grand que soi nous permet de rester positif, enligné; cette croyance nous aide à avancer à travers les épreuves qui jalonnent notre parcours de vie.

Dès un très jeune âge, nous réalisons que nous allons mourir un jour, ainsi que tous ceux que nous aimons. C'est donc une bonne idée et très rassurant de croire en quelque chose.

Je me prends en exemple. Comme mon père est décédé sur la route, je crois qu'il me protège lorsque je suis en déplacement sur la route. Je crois tellement en sa protection que j'offre à certaines personnes, comme mon conjoint ou mon cousin qui a récemment eu son permis de conduire, un petit quelque chose de représentatif, ce qui leur permet à eux aussi d'être protégés.

Je crois aussi que mon père m'aide dans ma pratique professionnelle.

C'est grâce à son décès que je suis devenue thérapeute, conférencière et auteure. S'il était encore vivant, je ne serais pas devenue thérapeute, ce n'était pas le métier que je voulais faire. Je ne serais surtout pas spécialisée dans le deuil. Ce livre n'existerait pas. Je crois qu'il m'a aidé à trouver l'inspiration.

Je crois qu'il m'aide à guider et soutenir mes clients. Je crois qu'il met les bonnes personnes sur ma route parce que mon parcours est agréable, tous mes projets fonctionnent, mon cabinet, mes conférences, mon CD sur l'auto-hypnose, mon livre. Je crois que chaque fois que je désire quelque chose, pour mon bien ou celui des autres, il ouvre des portes devant moi.

Que toutes ces croyances soient vraies ou pas, croyez-vous qu'elles m'aident ou me nuisent? Alors pourquoi ne serait-il pas de même pour vous?

Une autre forme de spiritualité très intéressante est la gratitude, la reconnaissance envers la Vie pour tous ses cadeaux.

Même quand tout semble aller de travers, même quand vous n'avez aucune envie de dire merci, souvenez-vous toujours qu'il y a des dizaines de raisons envers lesquelles prononcer des paroles de gratitude.

Même si votre vie va mal selon vous, vous êtes en vie. Même si vous avez perdu une partie ou une capacité de votre corps, il vous reste toutes les autres. Même si vous êtes malade, vous pouvez guérir ou profiter du temps qu'il vous reste. Même si vous êtes en dépression, il y a des gens autour de vous et votre futur sera très différent.

Vous avez la vue et vos autres sens, vous avez la capa-cité de choisir et de changer votre vie, vos bras, vos jambes, un ami, un passé, un présent, un futur... et tant de raisons pour lesquelles dire merci!

« Ce qui embellit le désert,
c'est qu'il cache un puits quelque part. »

- Antoine de St-Exupéry

Chapitre

DIX-NEUF

L'ACCEPTATION

*« En général, la mort fait que l'on devient
plus attentif à la vie. »*

- Paulo Coelho

Entrer dans la phase de l'acceptation, c'est d'abord accepter que notre vie évolue et qu'elle recèle de nombreux cadeaux sous toutes sortes de formes. Cette compréhension est la dernière phase du deuil, celle dans laquelle nous restons le reste de notre vie. Elle nous permet de concentrer nos énergies vers l'avenir, enfin! C'est le retour de la douceur dans notre vie.

Accepter signifie que vous vous êtes adapté à votre nouvelle vie. C'est là la meilleure nouvelle depuis longtemps. Ce n'est pas un choix de s'adapter à votre réalité, c'est en fait la seule manière pour vous de pouvoir continuer votre vie en étant bien dans votre tête, votre cœur et vos émotions. C'est de continuer la même vie, mais de manière différente. Nous nous délestons enfin de la pensée que nous ne serons plus jamais heureux. Cette libération représente un grand soulagement.

C'est le moment parfait maintenant pour faire du ménage. Un vrai ménage, comme trier les effets personnels de la personne décédée ou d'une ancienne relation, les vêtements, les boites de souvenirs et autres. Peut-être que c'était déjà fait, mais peut-être pas au complet.

J'ai fait du ménage dans les effets de mon père que j'avais conservés, et cela, pour la première fois, trois ans après sa mort.

Depuis, j'ouvre les boites de souvenirs une fois par année et je me défais de quelques-uns chaque fois. Il m'a fallu huit ans avant d'être capable de jeter les cartes que les gens m'avaient écrites aux funérailles. C'est permis de faire le ménage graduellement.

Une autre chose importante à faire, mais seulement lorsque vous êtes vraiment prêt, c'est d'enlever les objets qui sont à la vue, comme les cendres, les lampions, et autres. La raison est simple, vous travaillez fort pour aller de mieux en mieux dans votre deuil, mais chaque fois que vous passez par le salon, vous revenez toujours à cet ancrage de douleur créé par la vue de l'objet en question.

C'est un peu comme vous tirer vers le bas chaque fois que vous stimulez votre ancrage. Cette personne faisait partie de votre vie, elle vit maintenant dans votre cœur, dans votre mémoire et rien ne pourra jamais vous forcer à l'oublier. Une belle photo de la personne souriante est suffisante.

Il est maintenant temps de vous attacher de nouveau au *risque* de perdre. Surtout après une peine d'amour ou si votre amoureux est décédé. Tout est un risque dans la vie. Si vous ne vivez pas *au risque de*... vous ne vivrez pas tout court!

Allez! Embarquez de tout cœur dans la vie, dans votre vie. Recommencez à vous laisser guider par votre intuition.

Faites-vous confiance à nouveau, vous pouvez compter sur vous-même. Votre petite voix intérieure est votre meilleur guide maintenant que vous vous êtes adapté à votre nouvelle vie!

Vous êtes un individu nouveau, différent et moins naïf. Vous êtes conscient que vous n'êtes pas, et ne serez jamais, à l'abri de malheurs, de pertes ou de la mort. C'est extrêmement positif d'en être conscient.

Maintenant que vous avez fait tout ce chemin, tous ces apprentissages, vous êtes beaucoup mieux préparé pour vivre le reste de votre vie de façon plus sereine et confiante.

C'est le moment de faire de choses nouvelles, prendre de nouveaux départs, commencer de nouveaux projets, entreprendre des études, vous faire de nouveaux amis ou renouer avec d'anciennes relations, repeindre les murs, faire un voyage, découvrir, et quoi d'autre encore.

Des projets exaltants, il y en a à profusion. Vous reprendrez goût à la vie. Vous vivrez de nouvelles émotions, toutes plus positives les unes que les autres et vous voilà parti sur une vague de positivité. Vous vivez pleinement!

Profitez-en aussi pour prendre soin de vous, sortir, rire, faire des activités seul ou avec d'autres, de l'exercice, vous faire dorloter ou préparer un repas thématique pour réjouir vos invités.

Mettez votre imagination au travail, elle vous fournira une grande quantité de suggestions. Aller quelque part signifie que vous n'allez pas nulle part! Précisez clairement tout ce dont vous désirez.

Recommencez à vivre dans le moment présent, à savourer la vie. Vous vivrez de mieux en mieux chaque jour. Vous vous retrouverez, vous vous reconnaitrez. Vous serez fonctionnel et stable. Vous vous rendrez compte de la puissance de votre tonus mental.

Vous avez changé à l'intérieur et vous êtes maintenant en meilleure posture, vous comprenez de quoi est faite la vie. Vous comprenez maintenant qu'elle est votre amie, votre grande amie, une merveilleuse amie.

Vous vous êtes réorganisé. Je me souviens de la première journée où je me suis sentie mieux après la mort de mon père. Je suis allée m'acheter une bague en or afin de ne jamais oublier que c'était possible de me sentir en pleine possession de mes moyens de nouveau!

Il y a eu un moment très marquant pour moi et c'est à ce moment particulier que j'ai compris que j'arrivais enfin dans la phase de l'acceptation. C'est lorsque j'ai découvert un sens à la mort de mon père. Je vous souhaite d'y parvenir.

J'ai réalisé que grâce à sa mort, aujourd'hui ma mission de vie est d'aider les gens qui souffrent à traverser leur deuil, à avancer et à s'adapter.

C'est grâce à lui, à cette histoire que vous avez lue, tout part de son décès, le 12 août 2005. Trouvez un sens à vos pertes et toute votre vie s'en portera que mieux.

Nous prenons enfin conscience de l'héritage d'amour que ces personnes nous ont légué. C'est un moment magnifique dont vous devez profiter. Il vous appartient en entier. Ressentez-le au plus profond de vous-même. Ce sentiment crée un nouveau lien, plus grand, qui reste ancré en vous pour toujours.

Maintenant, vous pouvez pardonner et passer à autre chose. Laissez derrière vous l'espoir de revoir cette personne vivante. Profitez et bâtissez plutôt cette nouvelle relation spirituelle tellement plus nourrissante et étrangement plus réaliste.

Peut-être même serez-vous capable de dire merci.

Merci papa d'être mort.

Merci pour cet héritage de valeurs et d'amour que tu m'as laissé.

Merci de m'aider chaque jour à aider d'autres êtres humains à relativiser leur deuils.

Merci de m'accompagner.

Merci de guider de bonnes personnes vers moi.

Merci de faire en sorte que la personne qui a lu mon témoignage se sente mieux et perçoive son futur sous un angle plus positif et réaliste.

Cher lecteur, chère lectrice, vous venez de faire un pas de géant. Arriver à l'acceptation d'un deuil signifie que vous pouvez y arriver à partir de maintenant dans tous les autres deuils que vous aurez à vivre dans l'avenir.

C'est d'ailleurs dans cette phase que j'ai pu écrire ce livre.

« Le devoir

est une série d'acceptations. »

- Victor Hugo

Chapitre

VINGT

DEPUIS QUELQUES ANNÉES...

« Le souvenir, c'est la présence invisible. »

- Victor Hugo

Depuis quelques années, je vis dans l'acceptation, dans ma nouvelle vie. Dans cette vie où l'amour est plus fort que la mort, même après la mort...

Le processus du deuil fait grandir à une vitesse incroyable, c'est un véritable gain en maturité. Cette croissance amène un nouvel amour de soi et de la vie, la découverte de soi et d'une nouvelle existence. C'est un cadeau. Être plus fort, aimer la vie encore plus qu'avant et avoir un sentiment immense de gratitude. Nous sommes si complexes et si simples à la fois.

Vous êtes une personne unique et exceptionnelle. N'en doutez jamais. Aimez-vous sans condition et amusez-vous, car nous n'en sortons pas vivants de toute façon! Prenez conscience dès maintenant à quel point la vie est courte. N'en perdez aucun instant.

Les dernières années ont été bonnes pour moi et je sais que c'est grâce à mes efforts et mon travail sur moi-même. J'ai entrepris des études en psychologie afin de me comprendre! J'ai obtenu des diplômes pour aider d'autres personnes à nager dans cet océan.

J'ai ouvert mon cabinet privé, j'ai produit un CD d'auto-hypnose qui aident les gens à retrouver leur calme intérieur, malgré la vitesse de la vie. Je donne des conférences, j'ai écrit ce livre, j'ai fondé un groupe de soutien ouvert aux gens qui vivent un deuil ou de l'anxiété. J'ai rencontré l'homme de ma vie et je termine l'écriture de ce livre enceinte de mon premier enfant! Que demander de plus?

Merci la Vie, merci papa, mon cœur est rempli de gratitude. Mes projets quant à l'avenir sont grands et exaltants et je connais la source de ma force.

Vous êtes responsable de votre vie, de la rendre belle et bonne à vivre. Il n'en tient qu'à vous, et cela, dès maintenant!

« La victoire sur soi
est
la plus grande des victoires. »

- Platon

« Il faut avoir confiance dans les surprises de la vie. »

-Jean Philippe Blondel

Patrick Deslandes
1965-2005

Valérie Deslandes

Hypnothérapeute

Conférencière

Auteure

www.hypnovaldes.com
514-238-9613

INFOLETTRE POUR OBTENIR DE L'INSPIRATION, TROUVER DES NOUVELLES IDÉES ET DÉVELOPPER VOTRE POTENTIEL

Recevez à votre adresse courriel,
un message de croissance personnelle.

Cette inspiration vous permettra :

• De prendre un moment de répit au cours de votre journée pour refaire le plein d'énergie ;

• De vous repositionner face à vos situations personnelles;

• De répondre à vos défis de façon positive;

• De discuter avec votre entourage d'un sujet à caractère évolutif;

• De prendre conscience de votre grande valeur;

• De faire des choix selon votre mission de vie;

• D'être tenace malgré les embûches;
et plus encore...

À chaque Infolettre que vous recevrez,
un livre de croissance personnelle sera mis en vedette
et une description en sera faite.

C'EST GRATUIT! C'EST POSITIF!

INSCRIVEZ-VOUS AU www.performance-edition.com